跟 我 学 汉 语

教 师 用 书 第 一 册

Learn Chinese with Me

Teacher's Book 1

人民教育出版社

People's Education Press

跟我学汉语

教师用书　　第一册

*

人民教育出版社出版发行

网址：http://www.pep.com.cn

人民教育出版社印刷厂印装　全国新华书店经销

*

开本：890 毫米×1 240 毫米　1/16　印张：11.75　插页：1　字数：190 000

2003 年 6 月第 1 版　2007 年 9 月第 4 次印刷

印数：7 301～10 300 册

ISBN 978 - 7 - 107 - 16684 - 6

G·9774（课）　定价：33.00 元

教材项目规划小组

　　　　　严美华　姜明宝　张少春

　　　　　岑建君　崔邦焱　宋秋玲

　　　　　赵国成　宋永波　郭　鹏

主　　编　陈绂　朱志平

编写人员　朱志平　徐彩华　娄　毅

　　　　　　宋志明　陈　绂

英文翻译　李长英

责任编辑　施　歌

审　　稿　王本华　吕　达

封面设计　张立衍

插图制作　北京天辰文化艺术传播有限公司

目　录

致教师 ……………………………………………………………… 4

《跟我学汉语》编写说明 ………………………………………… 6

第一册学生用书使用说明 ………………………………………… 18

汉语拼音方案 ……………………………………………………… 32

第一单元　学校、同学和老师 ………………………………… 1

　1 你好 …………………………………………………………… 2

　2 再见 …………………………………………………………… 6

　3 我是王家明 …………………………………………………… 9

　4 谢谢 …………………………………………………………… 12

　5 她们是学生吗 ………………………………………………… 16

　6 他们是我的朋友 ……………………………………………… 19

第一单元评估与测验 ……………………………………………… 23

第二单元　朋友和伙伴 ………………………………………… 25

　7 他是谁 ………………………………………………………… 26

　8 谁是你的好朋友 ……………………………………………… 31

　9 你有几张中文光盘 …………………………………………… 35

　10 这是谁的钱包 ……………………………………………… 40

　11 祝你生日快乐 ……………………………………………… 44

　12 今天我很高兴 ……………………………………………… 48

第二单元评估与测验 ……………………………………………… 52

第三单元 我和我的家 ························· 54

　　13 你多大 ····························· 55

　　14 这是我的狗 ························· 59

　　15 你从哪里来 ························· 62

　　16 我住在柏树街 ····················· 65

　　17 你家有几口人 ····················· 68

　　18 我爸爸是医生 ····················· 71

　第三单元评估与测验 ····················· 74

第四单元 一年四季 ························· 76

　　19 现在几点 ··························· 77

　　20 你每天几点起床 ··················· 80

　　21 昨天、今天、明天 ················· 83

　　22 星期六你干什么 ··················· 86

　　23 今天天气怎么样 ··················· 89

　　24 冬天冷，夏天热 ··················· 92

　第四单元评估与测验 ····················· 95

第五单元 衣食住行 ························· 97

　　25 我要二十个饺子 ··················· 98

　　26 你们家买不买年货 ················· 101

　　27 一共多少钱 ······················· 104

　　28 你喜欢什么颜色 ··················· 107

　　29 穿这件还是穿那件 ················· 110

　　30 他什么样子 ······················· 113

　第五单元评估与测验 ····················· 116

第六单元 体育和健康 ……………………………………………… 118

　31 你哪儿不舒服 …………………………………………… 119

　32 医生，我牙疼 …………………………………………… 121

　33 你会游泳吗 ……………………………………………… 124

　34 去游泳池怎么走 ………………………………………… 127

　35 你去哪儿度暑假 ………………………………………… 130

　36 运动场上有很多人 ……………………………………… 133

第六单元评估与测验 …………………………………………… 136

附　录

第一册交际功能总结 …………………………………………… 138

第一册语言要点总结 …………………………………………… 141

普通话声母韵母拼合总表

致 教 师

您好！感谢您选择使用《跟我学汉语》。

《跟我学汉语》是一套专为中学生设计的汉语教材。

中学生正处在身体、思想等各方面从儿童向成人发展的过渡时期。这个时期的学生对新知识充满好奇，但是志向尚未确定。因此，这个阶段的教育应该以培养兴趣为主，语言教育也是这样。《跟我学汉语》这套教材正是基于这个主导思想来确定它的编写原则和基本体例的。

我们全体编者都是汉语作为第二语言教学的第一线的教师。在编写这套教材的过程中，我们始终努力从自己亲身进行教学的角度去设计教材、安排内容。但是，我们对于海外中学生的日常生活和性格特征的了解毕竟还很有限，而且，在教材编写的前期调研中我们也认识到，目前国内的汉语第二语言教学与海外第二语言教学，特别是中学汉语教学，在教学理念和教学思想上还存在一定差异。不过我们相信，在多元文化交流频繁的21世纪，我们必能在与海外同行的交流与理解中来缩小这种差异。因此，我们衷心地希望并欢迎您提出宝贵的意见，为这套教材的进一步修订，也为我们共同为之努力的汉语教学事业。

下面我们就向您介绍《跟我学汉语》，请您在使用以前仔细阅读这套教材的编写原则和基本体例，以便您能全面了解这套教材，充分运用我们向您提供的全部参考资料。

编 者

2003 年 6 月

To the Teachers

Hello, thank you for using *Learn Chinese with Me*.

Learn Chinese with Me is a set of textbooks designed especially for high school students.

During high school students develop from adolescence to adulthood and are keen to learn but have yet to set their goals in life. Their education, including language training, should therefore focus on fostering their interests. The style and content of *Learn Chinese with Me* were compiled on this principle.

All the contributors are first-line teachers of teaching Chinese as a second language and the textbooks have always been compiled with the teaching of the students in mind. Due to differences in culture, there are however some differences between teaching Chinese as a second language in China and teaching Chinese as a second language abroad, especially at high school level, in terms of teaching concept and ideology. The research we conducted before compiling these textbooks proved the existence of such differences. Nevertheless, we are still convinced that in a century where various cultures are intermingling with each other, we can bridge the gap through mutual understanding and exchange of ideas with our overseas counterparts. Thus, we sincerely welcome any suggestions for the improvement of this series of textbooks and the cause of teaching Chinese we have both been endeavouring at.

Now we would like to introduce you to *Learn Chinese with Me*. Please read the compiling principles and the stylistic rules carefully first so that you have an overall understanding of this series of textbooks and will be able to use all the reference materials provided.

The compilers

June 2003

《跟我学汉语》编写说明

一 教材的适用对象

《跟我学汉语》是一套专为中学生设计的教材，使用对象主要是以英语为母语的中学生（或年龄在15～18岁的以汉语为第二语言的学习者），适用于北美地区中学汉语教学，可供9～12年级使用。水平从零起点至初、中级阶段，1～4册学生用书涉及汉语词汇约2000个。

二 教材包括的内容

《跟我学汉语》全套教材共12本（含有与学生用书相配套的语音听力材料），包括：
9年级（零起点）学生用书（第一册），以及配套的教师用书、练习册各一本；
10年级学生用书（第二册），以及配套的教师用书、练习册各一本；
11年级学生用书（第三册），以及配套的教师用书、练习册各一本；
12年级学生用书（第四册），以及配套的教师用书、练习册各一本。

三 教材编写原则

1. 总体设计原则

内容安排自然、有趣，符合第二语言学习规律。框架设计采用结构与功能相结合的原则，语言知识通过一定的话题体现在语言交际中。给学生的语言材料生动有趣，符合一定的交际功能的需要。不单纯追求汉语知识的系统和完整，但给教师的参考资料力求知识系统，丰富翔实。

2. 语法结构和表达功能

这套教材以零为起点，终点接近中级汉语水平。结合基本的日常生活不同表达功能的需要，教材将初级汉语水平阶段所涉及的句型和语法点根据话题的需要加以安排。语法点出现的顺序除了考虑功能的需要以外，还兼顾了汉语结构的难易，同时尽量吸收了当前汉语作为第二语言习得研究特别是对以英语为母语的汉语习得研究的最新成果。

3. 语言材料的编排和词汇呈现的方式

为了适应中学阶段活泼好动的年龄特征,《跟我学汉语》尽量采用中学生熟悉并喜爱的话题,以话题为线索来编排语言材料。2001年编者在北美地区对两个城市的中学生进行了"你感兴趣的话题"的民意调查,这套教材的话题即是从500多份调查材料中精心筛选出来的,既吸收了中学生的意见,也符合日常交际的需要。我们根据交际的需要和第二语言习得的规律安排话题的顺序,使学生能自然、直接地接触真实生活中的汉语。

《跟我学汉语》词汇的呈现分两部分:必学词和补充词。"必学词"是表达某个交际功能所必需的和在课文中要涉及到的词汇,这部分词汇在每一课中呈现的数量是根据学生在一定时间内所能掌握的词汇数量来确定的,并分别列入生词表和课本后的词汇总表,解释比较详尽,教师应当在学完每一课以后了解并确定学生是否已经基本掌握这些词;"补充词"是帮助学生理解、运用某个功能或进行替换、扩展练习时用的词汇,带有英语翻译,这些词汇可以根据学生的语言基础和学习进度由学生自己吸收,或由教师机动安排。

4. 课文故事背景和上下文语境

该教材的使用地是学生的母语地区,鉴于学生不一定有机会直接在日常生活中接触到汉语,《跟我学汉语》的课文在设计时充分考虑到了课文内容的情景性和上下文语境的具体性。教师在帮助学生使用时应当注意到这一点,以便学生能对课文中所介绍的语言功能充分理解,并能举一反三,学会运用。

5. 关于"导入"

"导入"(Look and Say)在《跟我学汉语》各册课本中均占有相当重要的地位,主要和交际密切相关。"单元导入"应当看做这个单元内容的一个基本介绍,它可以帮助教师引导学生熟悉将要学习的内容,产生学习兴趣。因此,它是教学过程中一个重要的环节,不可以忽略,教师要安排出一定的时间来完成"导入"这一任务。"单元导入"至少应占一节课的时间,每一课的"导入"应占全课学习时间的五分之一。

6. 文化内容的设定

语言是文化的载体,文化是语言得以理解的基本前提。语言教材不可避免地要反映相应的文化，这也是语言教材义不容辞的责任。鉴于《跟我学汉语》这套教材的使用地是学生的母语地区，尊重大多数海外中学教师的意见，《跟我学汉语》中人物的生活背景尽量不安排在中国大陆，以免给学生带来较大的文化障碍。因此，这套教材的文化分三层提供给教师和学生：第一层在课文中通过人物对话来营造文化氛围，介绍相关文化；第二层在课文外通过语音、文字等练习材料加以介绍；第三层通过教师用书的备用资料来丰富文化内容。教师可以根据课时的弹性程度来安排。比如，在时间和学生水平允许的条件下，语音练习材料既可以作为练音使用，也可以作为一定的文化知识向学生介绍。

　　7. 语音的特殊设计

　　《跟我学汉语》采用注音的方式给课文标音。在汉语中有语流变调，即一个音节的声调单读时是一个调，在语流中可能变成另一个调。按照汉语拼音方案，在词典和教材中，一般只标本调，在语流中则要按照实际读音来读。第三声变调和"一""不"的变调就是如此。鉴于以英语为母语的学生学习声调的困难，这套教材对日常生活中最常出现的两个"变调"现象——"一"和"不"的变调，采取了变通的标注方法，即按实际读音标调。至于第三声变调则标本调，请教学时注意。关于"一""不"和第三声的变调规律，请详细参考该教材第一册教师用书的"汉语拼音方案"部分。

四　汉语教学法建议

　　语言教学法的实施不仅和语言教学的目的、对象相关，也和所教语言的特点有着密切的关系。对于英语为母语的学生来说，汉语的难点主要表现在两个方面，一个是语音系统中的声调，一个是书写系统的汉字。从这两个难点出发，我们提出两个教学法的原则：（1）语音阶段相对集中，重点放在让学生建立起声调的概念；（2）先学习说话，后读课文；先学词汇，后认汉字；先认字，后写字。

五　如何使用《跟我学汉语》介绍的汉字知识

　　认字要从结构出发，写字要从笔画入手。我们希望教师将"先认字，后写字"这个原则贯彻始终。您可以根据教师用书在每一课的参考资料中所介绍的文字知识，先引导学生了解汉字结构，然后再引导学生认字、写字。

六　《跟我学汉语》各册学生用书及其和教师用书、学生练习册之间的相互关系

　　从纵向看，《跟我学汉语》1～4册学生用书的编排特点是：在相邻两册之间，功

能与知识点在水平上呈螺旋式循环上升，并略有交叉，使学生在学习中循序渐进。第一、二两册的编排是结构与功能在一定话题下相结合；第三、四两册则是以功能为主，兼顾语言点的安排。在功能方面，第一、二册重视口语的单句表达，第三、四册逐渐将学生引入口语的成段表达和阅读能力的提高。对以汉语为第二语言的学习者来说，阅读也应当视为一项交际任务——与作者进行思想交流。

从横向看，学生用书是核心，教师用书和学生练习册作为辅佐。结合中学生活泼好动的特点，《跟我学汉语》在学生用书中尽量不安排语法结构的说解，以避免引起学习焦虑，导致学生失去学习兴趣。但是在教师用书中则有较为详尽的解释以及相关的补充材料，教师应该相机引导学生了解。

七 关于《跟我学汉语》课本容量的说明

《跟我学汉语》教材容量的设计考虑到各个中学学时不一（大部分在110～150小时／年不等），内容安排有一定的弹性。学时少的学校可以仅就学生用书的内容进行学习；课时多的学校可以将教师用书中所提供的资料、活动以及练习册的一部分作为课堂教学使用。

每一册学生用书共分六个单元以适应各种不同学制。随着年级的上升，各册中每一单元的课数则随每课内容含量的增加相应减少。

第一册每单元6课，共36课，每一课需用时间约4小时。

第二册每单元5课，共30课，每一课需用时间约5小时。

第三册每单元4课，共24课，每一课需用时间约6小时。

第四册每单元3课，共18课，每一课需用时间约7小时。

八 关于《跟我学汉语》学生练习册

在学生练习册中，我们选编了若干练习题与学生用书的每一课相配套，以帮助学生更好地掌握所学内容。每一课均有6～8道练习题，随课本程度的加深而变化形式，有一定的趣味性，可以作为学生自学的材料，也可供教师选作课堂练习。

九 关于《跟我学汉语》教师用书

教师用书主要向教师介绍学生用书每一单元以及每一课的内容、编写思想，提供与之相配套的可用于教学的补充内容和教学策略、语言评估策略等等。教师用书共分六个部分：

1．教学目的——提示学习这一课应该达到的目标；

2．教学要点——介绍学生应该掌握的主要内容；

3．教学内容——解释教材的内容安排；

4．使用指南——提示课时和训练策略；

5．参考资料——与课文相关的语言文化知识，包括可用于补充的教学内容；

6．语言测评——提供教师可用的考查或考试方法。每一单元结束时，将设书面测试题若干，供教师选择。

十 如何使用教师用书中的语法资料

为了方便教师教学，在教师用书的"参考资料"中，我们依照每一课的语言要点，向教师提供更详尽的相关语法说明，即"课文注释与语法说明"。教师可以根据教学的实际需要选择使用，不必把它们全都搬进课堂。请注意不要把这部分内容与"教学内容"中的"语言要点"混淆起来，后者是教学内容的提示。

Instructions to *Learn Chinese with Me*

I. The users

Learn Chinese with Me is a series of textbooks designed for high school students. It is mainly targeted at high school students (or teenagers aged between 15 and 18 learning Chinese as a second language) whose mother tongue is English, and at teaching Chinese to 9-12 grades in high schools in North America. The series is designed for the teaching of Chinese from beginner to intermediate level and about 2 000 Chinese words are included in the 4 Student's Books.

II. Course components

The entire series of *Learn Chinese with Me* is composed of 12 books, including the phonetic and listening materials supplemented to the Student's Books.

For Grade 9 (beginners), Student's Book 1, Teacher's Book 1 and Workbook 1 supplemented to Student's Book 1;

For Grade 10, Student's Book 2, Teacher's Book 2 and Workbook 2 supplemented to Student's Book 2;

For Grade 11, Student's Book 3, Teacher's Book 3 and Workbook 3 supplemented to Student's Book 3;

For Grade 12, Student's Book 4, Teacher's Book 4 and Workbook 4 supplemented to Student's Book 4.

III. Compiling principles

1. Principles for overall design

The content is natural and interesting and arranged in accordance with the rules of learning a second language. The framework combined both structures and functions, and the language points are presented via situational topics. The language materials provided for the students are lively and interesting and meet their communicative needs. Although the textbook itself does not lay emphasis on Chinese grammar, the reference materials offered to teachers try to be systematic and sufficient.

2. Grammatical structures and functional usages

This series of textbooks take the students from beginner to intermediate level. To cope with the general needs of conducting daily communication, the textbooks present students with sentence patterns and grammar at the elementary level in situational topics. Besides the consideration given to functional usages, the order in which the grammar is organized is based on the latest research on acquiring Chinese as a second language, especially the acquisition of Chinese by English-speakers.

3. Ways of organizing the language materials and of presenting the vocabulary

Keeping in mind the lively and restless characters of high school students, we have tried to adopt the topics which are familiar and interesting to them and to arrange the language materials in a topical order. In 2001, we conducted a survey among high school students in two North American cities on "Topics That You're Interested in", and the topics in this series of textbooks have been carefully selected from this survey of over 500 questionnaires. They not only take into consideration high school students' interests, but also meet the demands of daily communication. These topics are ordered according to the communicative needs and in the sequence of second language acquisition so that the students can approach Chinese in actual life naturally.

The vocabulary in *Learn Chinese with Me* is presented in two types: compulsory words and supplementary words. Compulsory words are those that are necessary for certain communicative functions and those that have appeared in the text. The number of this type of vocabulary in each lesson is decided according to the number of words a student can master within a period of time. Such vocabulary can be found both in the word list at the end of each lesson and in the general vocabulary list at the end of each book with detailed and complete explanations. The teacher should make sure that the students have basically mastered these words after concluding each lesson. Supplementary words are those that can help students understand and utilize certain function or do word substitution and word expanding exercises. English translation is provided for this type of vocabulary. Students themselves can decide how many of these words they learn according to their level of Chinese and studying progress, or the teacher can arrange them flexibly.

4. Text background and context

In view of the fact that the students may not have the chance to be directly in touch with Chinese in their daily lives since they live in an area where their mother tongue is spoken, *Learn Chinese with Me* employs many actual situations and specific contexts in its texts. The teacher should remind the students of this when helping them use the book, and thus the students can have a thorough understanding of the functions introduced in the text and will be able to use them properly.

5. About "Look and Say"

"Look and Say" plays an important part in each of the books of *Learn Chinese with Me*, and it is closely connected with communicative functions. "Look and Say" is a general introduction to each unit. It can help the teacher familiarize the students with the content they are going to learn and thus arouse their interest. Therefore, it is a key link in the teaching process and should not be ignored. The teacher must spare some time to cover this part, which should take at least one class hour. The "Look and Say" in each lesson should take up 1/5th of the total time for learning that lesson.

6. The cultural content

Language is the carrier of culture, and culture is the precondition for a language to be understood. Language books have inevitably to reflect relevant culture, which is an unshrinkable duty. Because *Learn Chinese with Me* is to be applied to an area where the students' mother tongue is spoken, on the advice of overseas high school teachers, the living conditions of the characters in *Learn Chinese with Me* are not placed in Mainland China to avoid possible cultural barriers. The cultural content involved in *Learn Chinese with Me* is provided for the teacher and the students in 3 layers: the 1st layer is what is created and introduced in the text via the characters' conversation; the 2nd layer is indirectly presented outside the text via exercises on phonetics and Chinese characters; and the 3rd layer is what is enriched via the supplementary materials in the Teacher's Book. The teacher can manage the cultural content according to the flexibility of class hours. For instance, provided the time and students' competence, the phonetic exercise materials can be both used for pronunciation practice and introduced to students as a kind of cultural knowledge.

7. The special approach to phonetics

Learn Chinese with Me employs a phonetic notation system to phoneticize the texts. There are tonal changes in the speech flow of Chinese, that is, the tone of a syllable in speech flow may be different from that if the syllable were said by itself. According to the Scheme for the Chinese Phonetic Alphabet, used in dictionaries and textbooks, words with tonal changes are only marked in their original tones but read in the changed tones when spoken. The tonal changes of the 3rd (the falling and rising) tone, "一" (one) and "不" (used for negation) are just such cases. Having taken into consideration the difficulty English-speaking students may encounter when learning the Chinese tones, we have adopted an adapted way of marking the two most common tonal changes in daily life, that is, the tonal changes of "一" and "不". In *Learn Chinese with Me* "一" and "不" are marked with the changed tones, that is the actual tones for reading. For the 3rd tone, only the original tone is provided, which therefore requires the teacher's attention when teaching. As to the rules for the tonal changes of "一""不" and the 3rd tone, please refer to the section about the Scheme for Chinese Phonetic Alphabet in the Teacher's Book 1.

IV. Chinese teaching approach and methodology

The implementation of language teaching methodology is not only related to the teaching objectives and subjects, but to the characteristics of the language being taught. For students whose mother tongue is English, the difficulties of Chinese lie in two areas: one is the tones of its phonetic system; the other is the characters of its writing system. To cope with the two difficulties, therefore, we proposed two principles for Chinese teaching:

① Intensive training should be given at the phonetic stage, focusing on helping students establish the concept of tones;

② Talking comes before text reading; vocabulary learning comes before character identification; character identification comes before character writing.

V. How to introduce the character knowledge in *Learn Chinese with Me*

Character recognition begins with character structures; character writing starts from character strokes. We hope that the teacher can always bear in mind the principle that "character recognition comes before character writing". The teacher can guide students to learn about the Chinese character structure first and then teach them how to write characters by referring to the character knowledge introduced at the end of each lesson in the Teacher's Book.

VI. The relationship between the components of *Learn Chinese with Me*

As a series, Books 1-4 of *Learn Chinese with Me* possess the following features: The functions and language points in the two neighbouring books are advanced in spiral cycles that sometimes overlap so as to enable the students to learn the knowledge step by step. The grammar structures and functions in Books 1 and 2 are combined together under a certain topic. Books 3 and 4 focus on functional usages while maintaining language points.

With regard to functional usages, Books 1 and 2 focus on spoken expression of single sentences; Books 3 and 4 are aimed at equipping the students with speaking abilities to express themselves in a set of sentences and improving their reading abilities. For students learning Chinese as a second language, reading should also be treated as a communicative task — an interaction of mind with the author.

The Student's Book is the core to the series, and the Teacher's Book and Workbook are supplementary to it. Because high school students possess a lively and restless temperament, the Student's Book of *Learn Chinese with Me* tries not to involve grammar instructions to avoid learning anxiety which may cause students to lose their interest in learning Chinese. However, the Teacher's Book offers detailed explanations and relevant supplementary materials, which the teacher can illustrate to students accordingly. We have included functional usage and sentence patterns for each lesson.

VII. The teaching content

Consideration has been given to the different total class hours each high school has (basically the total class hours vary from 110 to 150 per year) when we designed the teaching content; therefore, the content is quite flexible. For schools having comparatively fewer class hours, the content in the Student's Book will suffice. For schools having more class hours, the materials and activities provided in the Teacher's Book and some exercises in the Workbook can be used in class.

Each Student's Book comprises 6 units to meet the demand of different schooling systems. The number of the lessons in each unit dwindles as the content in each lesson increases.

For Student's Book 1, there are 6 lessons in each unit, and 36 lessons in all. Each lesson takes around 4 hours.

For Student's Book 2, there are 5 lessons in each unit, and 30 lessons in all. Each lesson takes around 5 hours.

For Student's Book 3, there are 4 lessons in each unit, and 24 lessons in all. Each lesson takes around 6 hours.

For Student's Book 4, there are 3 lessons in each unit, and 18 lessons in all. Each lesson takes around 7 hours.

VIII. The Workbook of *Learn Chinese with Me*

To help students to master the text, we compiled some exercises to form the Workbook as a supplement to the Student's Book. For each lesson, there are 6-8 types of interesting exercises, and the forms will change accordingly when the content of the textbook moves towards a higher level. The Workbook can be used both as self-teaching materials and for classwork.

IX. The Teacher's Book

The Teacher's Book provides teachers with introductions to each unit and lesson, compiling principles, supplementary materials to each lesson in the Student's Book, teaching approaches, and language evaluation strategies etc. There are six sections in the Teacher's Book:

1. teaching objectives — to set out the goals of the lesson;

2. teaching points — to introduce the main things that the teacher should help students to master;

3. teaching content — to explain the arrangement of the content in each lesson;

4. teaching guidance — to remind the teacher of the class instruction time and training strategies;

5. reference materials — to introduce culture related background to the text and some supplementary teaching materials;

6. language evaluation and tests — to provide the teacher with evaluation and testing methods. There are some written tests for the teacher to select from at the end of each unit.

X. How to use the materials about grammar in the Teacher's Book

For the convenience of teaching, in the reference materials in the Teacher's Book we have provided the teachers with more detailed explanations on the relevant grammar in each lesson, i.e. "Notes to the Text and Grammar Explanations". The teacher can select from these according to the actual teaching needs rather than instructing all of them in class. Special attention must be paid here: do not confuse this part with the "Language Points" in the "Teaching Content", the latter being a brief introduction to what is to be taught.

第一册学生用书使用说明

一　学生用书的基本框架

《跟我学汉语》第一册学生用书在编排上可以分为两个部分：1~3单元是汉语入门的初始阶段；4~6单元则全面进入交际任务的训练。

第一单元以语音为主，目的是帮助学生建立良好的发音习惯。这个单元的交际任务只是一些最基本的表达功能。在第一单元的后半部分开始引入汉字概念。在第二单元中，语音的学习任务逐渐减轻，逐步过渡到认字和写字阶段，表达功能逐渐丰富起来。第二单元基本完成了语音学习的任务，从第三单元起，认字和写字进入一个长期的渐进的阶段，交际任务开始向多方面扩展，涉及个人生活的诸多方面。第四至六单元全面展开交际任务的练习。因此，前三单元应视作基础中的基础，语言材料虽然不多，但是却很重要，教师应该把学习重点放在语音、汉字的入门以及基本功能表达和文化的导入上。

在第一册中，由于1~3单元重点在语音、汉字入门等方面，"导入"只在每单元前面出现；4~6单元则在每个单元和每课之前均有"导入"，请教师注意安排，引导学生学习。

二　汉语教学入门建议

如何开始一门课程，是每个教师都会考虑的。作为编者和您的同行，我们建议本书的使用从文化导入开始，步骤如下：

1.介绍中国地图：包括行政区划、地形、物产等；

2.学习编制中国结；

3.介绍中国的方言和普通话；

4.引入汉语教学，教汉语拼音的基本知识：声、韵、调，以及声调的重要性；

5.开始第一课。

以上步骤的完成可以发动学生去查资料，通过讨论等方式完成，不必完全以教师为中心。在以上的过程中，可以介绍学生学习少量日常汉语，如"你好""谢谢""再见"等。这与课文不冲突。

三　学生用书的体例

学生用书每一课一般有如下内容：

1. 导入

2. 课文

3. 课堂用语、常用语

4. 新词语——课文中的生词和短语

5. 课文注释

6. 练习

7. 语音（包括听力练习；汉语拼音方案安排在1~8课）

8. 汉字（从第四课起正式进行汉字教学）

四　内容安排示例

1. 单元导入

把将要学习的这一单元的重要词语和句型以看图说话（拼音）的方式先介绍给学生，以引起学生兴趣。比如，第一单元设如下两组内容：

(1) 你好、我是王家明、谢谢、再见；

(2) 老师、学校、校长、同学、朋友。

2. 课文导入

把将要学习的这一课的重要词语和句型以看图说话（拼音）的方式先介绍给学生，以引起学生兴趣。如第七课前的数字导入。

3. 每课内容

以第一课为例，将每一课的基本内容安排介绍如下：

①标题：提示本课重要句型；

① 1 你好
nǐ hǎo

Wang Jiaming, a freshman, is meeting his classmate for the first time.

② 家明：你好！　　Jiāming: Nǐ hǎo.
大卫：你好！　　Dàwèi: Nǐ hǎo.
家明：我叫王家明。　Jiāming: Wǒ jiào Wáng Jiāming.
大卫：我叫大卫。　Dàwèi: Wǒ jiào Dàwèi.

③ **New words**
1. 你 nǐ (pron.) you
2. 好 hǎo (adj.) good
3. 我 wǒ (pron.) I; me
4. 叫 jiào (v.) call; name

④ **Proper nouns**
* 王家明　Wáng Jiāming
　Wang Jiaming

* 大卫　Dàwèi　David

2

②课文：向教师和学生提供基本的语言材料和相应的交际技能所包括的内容；

③新词语：包括了本课应该学习和掌握的词汇和短语；

④专有名词：主要是人名、地名等，为了方便一些学生或教师的需要，将相应的繁体字附在课本的汉字总表中；

⑤课堂用语、常用语：向学生介绍常用的课堂指令、常用语句；

⑥注释：鉴于学生的汉语水平与年龄，第一册原则上不安排注释，教师可根据教师用书中提供的"课文注释与语法说明"和"文化"等参考资料，把相关的语法、文化介绍给学生；

⑦练习

本册的练习有"读一读"(Read, then practice)、"练一练"(On your own)、"会话练习"(Conversation practice)、"你来说一说"(Interviewing)、"根据课文回答问题"(Answer questions according to the text)、"课堂活动"(Class activity)等。

"读一读"给出一些重要的短语、句子和对话，让学生朗读，然后做练习。练习的方式有两种：一种是先读然后与同伴表演（Read, then practice with a partner）；一种是先读后匹配（Read and match）。

"练一练"让学生自己完成句子，练习课文中的重要句型。

"会话练习"是替换式练习，旨在通过反复操练，提高会话能力。

"你来说一说""根据课文回答问题"围绕课文内容，让学生回答问题，巩固并深化所学内容。

"课堂活动"根据每课的学习内容设计1～3项活动。目的是把所学的语言技能整合在活动之中，让学生们充分地"动"起来、"说"起来，在愉快的活动中进一步巩固所学内容，增加学习兴趣。学生用书中只出现1～2项活动，其余活动在教师用书中介绍。教师可以根据实际需要选用。在进行课堂活动时，教师应灵活处理，既可以处理为全班活动，也可以进行适当变化，变为小组活动（group work）、两人成对活动（pair work）等形式，使活动更适合当地实际和学生们的喜好，而且能反复多次进行，增强活动的效果。

⑧语音练习

语音部分包括：汉语拼音、听力练习、辨音练习和朗读练习。第一课引入汉语拼音的概念和基本的汉语拼音规则；第二课至第八课系统介绍声、韵、调拼合规律；第九课对"汉语拼音"部分进行总结。第二课至第八课的"辨音练习"是声韵调拼合训练的一部分；第十课至第十二课的"辨音练习"，要让学生了解"变调"。第九课至第三十六课设"朗读练习"，帮助学生练习发音；第二课至第三十六课设"听力练习"，帮助学生提高听力。

语音练习的目的是帮助学生正确发音和认读汉字。随着学生语言水平的提高，语音练习部分逐渐转变为以练习听力和朗读为主。

⑨ 学汉字

第一课到第三课不要求学生学习汉字，教师只需引导学生了解一下"学汉字"部分所介绍的汉字。从第四课开始要求学生学习汉字，特别是笔顺教学要贯穿始终。

五 课文的故事情节

1. 课文安排一定的故事情节来帮助学生熟悉语言。故事围绕一群中学生——主要是王家明、大卫、杰克和玛丽等人的日常生活展开，介绍这一年龄段的人群在日常交际中所需的汉语。

2. 故事中的人物相对固定，便于学生迅速掌握上下文和语境。

3. 故事以北美主要大城市为生活背景。

六 关于拼音编排

1. 拼音方案

为便于操作，拼音方案主要内容设置在第一单元之前。教师可根据教学的情况自行安排，或先教，或与课文同时进行。

2. 课文中拼音与汉字的编排方式

第一课到第六课是入门阶段，语音是教学重点，为了不加重学生负担，我们采用汉字课文和拼音课文分开编排的方式，教师和学生可以各取其便。从第七课开始，课文大多采用拼音与汉字相对照的编排方式，拼音在下，汉字在上，以突出汉字的视觉效果，便于教师和学生同时阅读，并让学生逐渐熟悉汉字。在每一单元的最后一课依旧采用拼音与汉字对照编排的方式，便于教师必要时考查学生的认字能力。

七 教学内容的复习

每一单元的最后一课安排一定的复习内容，主要有：

1. 阅读——用叙述文体复现本单元的词语和句型，培养学生的阅读能力；

2. 练习——让学生在活动中掌握本单元的内容；

3. 功能总结——列出本单元所学主要功能；

4. 语法总结——列出本单元所学的主要句型；

5. 汉字——在第一、二单元结尾处安排汉字笔画和笔顺的总结。

八 第一册"导入"

1. 全书"导入"

(1) 目的：帮助学生了解中国，以便熟悉汉语。

(2) 内容：介绍中国的地理位置、地貌、主要山脉、河流、野生动物、主要城市、人口等，给学生一定的背景知识，培养学习汉语的兴趣。

(3) 使用指南

①结合课本地图，启发学生在标明中国位置的世界地图上找到中国和北京；

②启发学生利用课本的中国地图了解中国的地形地貌、山脉河流和主要物产(参见相关资料)。

(4) 对练习活动的建议

让学生用英语介绍或讨论与中国相关的知识，也可以是一些手工(如做中国结)之类的实际活动。

(5) 相关资料

①中国概况

中国的全称是"中华人民共和国"，它位于亚洲东部，在太平洋的西岸，首都北京。中国的领土面积大约是960万平方千米。

中国的地势是西高东低，西南部的喜马拉雅山是世界上最高的山脉。它的最高峰——珠穆朗玛峰海拔8848米，是世界最高峰。长江、黄河是中国最重要的两条大河，它们都发源于西部的青藏高原，从西向东流入太平洋。

熊猫是世界濒危的珍稀动物之一，它主要生活在中国陕西省和四川省交界的秦岭一带。四川和云南的金丝猴，东北的东北虎、丹顶鹤，长江里的扬子鳄，也都是濒危动物，它们现在倍受保护。

中国的人口大约13亿，是世界上人口最多的国家。中国有56个民族，汉族占总人口的94%，绝大多数中国人说汉语。

汉语有七种主要方言，它们是：北方方言、吴方言、湘方言、粤方言、闽方言、赣方言和客家方言。说北方方言的人最多。汉语普通话是在北方方言基础上形成的，是中国的通用语言。所以，"汉语"通常是指汉语普通话。

②中国结的编法

I 同心结 （见图1）

材料 4号斜纹线长50厘米1根。

用途 可根据所编饰物自定，主要
　　　　编结手链、项链等饰物。

编法

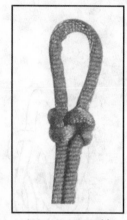

图1 同心结

A　　　B

1.把绳对折后，B绳绕环。

A　　　　　B

2.A绳按图穿B环。

A　　　B

3.A绳按图穿环。

4.拉紧、整形、完成。

Ⅱ 万字结（见图2）

材料 4号斜纹线长60厘米1根。

用途 可根据需要组合，编各种饰物。

编法

图2 万字结

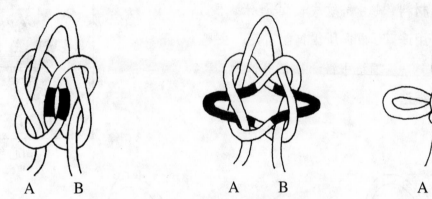

1. 按图1同心结，编法1—3。 2. 向两边各自方向拉出。 3. 整形、拉紧、完成。

2. 每单元、每课的"导入"

1～3单元设"单元导入"；4～6单元既设"单元导入"，也设每一课的"导入"。

目的：帮助学生熟悉将要学习的词语以及课文主要内容，培养学习兴趣。

内容：该单元或该课即将出现的词汇和语句。

Instructions to the Student's Book 1 of *Learn Chinese with Me*

I. The framework of the Student's Book

The arrangement of *Learn Chinese with Me* Student's Book 1 falls into two stages: units 1-3 are the gateway to elementary Chinese; units 4-6 start the training of communicative tasks.

Unit 1 focuses on Chinese phonetics, aimed at helping students to establish good articulatory habits, and the communicative tasks in this unit focus on basic expressive functions. In the latter part of this unit the concept of Chinese characters is introduced. The phonetic learning is gradually reduced in unit 2, and the learning enters a transitional stage of character recognition and writing and the expressive functions begin to increase. Phonetic learning is basically concluded in unit 3, while character learning enters a long and gradually-advancing stage and the communicative tasks begin to expand and involve various aspects of life. Units 4-6 start a comprehensive training on communicative skills. As a result, the first 3 units should be seen as the foundation of elementary Chinese. They are of great significance, although there are not many language materials. The teacher should lay emphasis on phonetics, character introduction, basic functions and the lead-in to Chinese culture.

In Book 1, because the first 3 units focus on phonetics and character introduction, "Look and Say" only appears at the beginning of each unit; in units 4-6, "Look and Say" is provided at the beginning of both each unit and each lesson. The teacher should instruct the students to go over the "Look and Say" section carefully.

II. Suggestions on how to teach elementary Chinese

Almost every teacher will give consideration to how to start a course. As the compilers of the book and teachers of Chinese as well, we suggest you to start teaching this book from the "cultural lead-in". The specific steps are as follows:

1. Introduce the students to a map of China, including its administrative regions, topography and products etc.

2. Teach students how to make Chinese knots.

3. Introduce Chinese dialects and *putonghua*.

4. Lead in to the teaching of Chinese, including the basic knowledge about *Pinyin*, such as initials, finals, tones and the importance of tones.

5. Start the first lesson.

All the procedures listed above can be carried out by encouraging the students to do research, to collect data and hold discussions. It is unnecessary for the teacher to be the centre of such activities. During such a process, a small amount of everyday Chinese can be introduced to the students, such as "*nihao*" (hello), "*xiexie*" (thank you) and "*zaijian*" (good-bye) etc., which is complementary to the text.

III. The components of each lesson

The components of each lesson are as follows:

1. Look and Say

2. The text

3. Classroom Chinese and daily Chinese

4. New words and expressions

5. Notes to the text

6. Exercises

7. Phonetics (including listening training and the Scheme for the Chinese Phonetic Alphabet in lessons 1-8)

8. Chinese characters (instruction on Chinese characters begins from lesson 4)

IV. Illustration of the content

1. Unit "Look and Say" —— to introduce students to the key words and expressions and sentence patterns in that unit by way of describing the picture provided so as to arouse students' interest. For instance, there are two groups of words and expressions in Unit 1:

① hello; I'm Wang Jiaming; thank you; good-bye;

② teacher; school; headmaster; classmate; friend.

2. Lesson "Look and Say" —— to introduce students to the key words and expressions

and sentence patterns in that lesson by way of describing the picture (in *Pinyin*) so as to arouse students' interest, such as the "Look and Say" about numbers at the beginning of Lesson 7.

3. The content of the lesson —— let's take Lesson 1 as an example to illustrate the basic content of each lesson:

① The title: to suggest the key sentence patterns in that lesson;

②The text: to provide the teacher and students with basic language materials and relevant communicative functions;

③ New words and expressions: include those that should be learned and mastered by students in that lesson;

④ Proper nouns: mainly are names of individuals, places or organizations. For the needs of some students and teachers, the unsimplified characters are provided in the complete list of the vocabulary that appears in the book.

⑤ Classroom and daily Chinese: to familiarize students with common Chinese classroom directions and daily Chinese;

⑥ Notes: in view of the student's Chinese proficiency and age, Book 1 does not offer any notes in principle, but the teacher can always introduce students to the relevant grammar and cultural background stated in "notes to the text and grammar explanations" and "culture notes" in the Teacher's Book.

⑦ Exercises

The forms of exercises in Book 1 include "Read, then practice", "On your own", "Conversation practice", "Interviewing", "Answer questions according to the text"and "Class activity" etc. "Read aloud" requires students to read aloud some given key words and phrases or sentences, and then do some exercises. The exercises are various, such as read and then practice with a partner, read and match, etc.

"On your own" requires students to complete the sentences which follow the patterns of the key sentences in the text.

"Conversation practice" is a kind of substitutional exercise, aimed at improving students' conversational ability through repeated practice.

"Interviewing" and "Answer questions according to the text" are based on the text content, aimed at consolidating and deepening what students have learned.

"Class Activities" are designed according to the content of each lesson, usually containing 1-3 activities, aimed at practising the language skills learnt through activities, so that student can really "move around" and "talk", and thus solidify what they have learned and increase their interest. Only one or two activities are provided in the textbook at the end of each lesson; others can be found in the Teacher's Book. The teacher can select the activity according to the needs of the class. In classroom activities, teachers can take them flexibly as either class works, or group works as well as pair works by some proper changes. In this way, classroom activities can be more suitable for the local reality as well as students' interests, and they can also enhance the result after many times practices.

⑧ Phonetics

Phonetics includes *Pinyin*, listening comprehension, sound discrimination and reading aloud. Lesson 1 introduces the concept of *Pinyin* and its basic formation rules. Lessons 2-8 systematically introduce the combination rules of initials, finals and tones. Lesson 9 provides a summary of *Pinyin*. The sound discrimination exercises in Lessons 2-8 are part of the training on the combination of initials, finals and tones. The sound discrimination exercises in Lessons 10-12 enable students to understand the tonal changes. The "Read aloud" in Lessons 9-36 help students with their pronunciation. The "Listening exercises" in Lessons 2-36 help students to improve their listening abilities. "Exercises on phonetics" is aimed at enabling students to correctly pronounce and identify Chinese characters.

With the improvement of the students' language proficiency, "exercises on phonetics" gradually focuses on listening comprehension and reading aloud.

⑨ Character learning

Lessons 1-3 do not require students to learn Chinese characters. The teacher only needs to give students a basic idea of the characters in "character learning". From Lesson 4 on, learning Chinese characters becomes a must, and in particular there is the instruction on "stroke order" throughout the whole book.

V. Situational stories

1. To familiarize students with the Chinese language, the texts are presented in situational stories. Based on the daily lives of a group of high school students — Wang Jiaming, David, Jack and Mary are the main characters — the stories are developed via introducing the Chinese needed for communication in various aspects of a high school student's life.

2. The same characters are used throughout the stories to aid the students' learning.

3. These stories are based in major cities in North America.

VI. About *Pinyin*

1. The Scheme for the Chinese Phonetic Alphabet

For the sake of convenient use, the main content of the Scheme for the Chinese Phonetic Alphabet is placed before Unit 1 and the "cultural lead-in" for the whole book. The teacher can choose to teach it either in advance or while teaching the lessons.

2. The arrangement of *Pinyin* and characters

The instruction of Lessons 1-12 focuses on phonetics. To relieve the student's burden, we separated the *Pinyin* texts from the character texts so that the teacher and students can choose either version according to their own needs. From Lesson 13 on, the texts are presented both in *Pinyin* and characters with *Pinyin* above the characters. The characters are given prominence so that the teacher and students can read at the same time and students can get to know characters gradually. The last lesson in each unit is presented in both characters and *Pinyin* so that the teacher can monitor the students' ability to identify Chinese characters.

VII. Cycles and revision of teaching points

Revision is arranged in the last lesson of each unit. The main content is as follows:

1. Reading — the words, expressions and sentence patterns of that unit are represented in a narrative text to enhance students' reading abilities.

2. Exercises — to enable students to master the content of that unit via class activities.

3. Function summary — the function points taught in that unit .

4. Grammar summary — the grammar points taught in that unit.

5. Chinese characters — to review the characters learnt in each lesson.

VIII. The "Lead-in" in Book 1

1. The "Cultural Lead-in" to the entire book

① Objective — to help students to learn about China so as to get familiar with the Chinese language;

② Content — introduction about China's geographical location, landforms, major mountains, rivers, wild animals, major cities and population etc., to equip students with background knowledge and to foster their interest in learning Chinese.

③ Guide for use

a. With the help of the map in the textbook, the teacher can elicit students to locate China and Beijing on a world map;

b. Elicit students to learn about China's land forms, mountains, rivers and major products with the help of the geomorphologic map of China in the textbook (please see the additional materials).

④ Suggestions for exercises and class activities

For instance, the teacher could ask the students to introduce or discuss in English things about China, or do some handwork (such as making Chinese knots) etc.

⑤ Relevant information

a. About China

China, full name is the People's Republic of China, is located in the east of Asia, reaching to the west coast of the Pacific Ocean. It covers an area of around 9.6 million square kilometres.

The relief of China descends from west to east. The Himalayas, which are situated in southwest of China, is the highest mountain range in the world. Its highest peak, Everest which reaches 8 848 metres above the sea level, is also the top of the world. The Yangtze River and the Yellow River are the two major rivers in China. They both rise in the Tibet Plateau in the west of China and run eastwards into the Pacific Ocean. Therefore, the Chinese people often say "water running eastwards" to mean that things just happen naturally.

The giant panda is one of the rare animals on the verge of extinction in the world. It mainly lives in the Qinling Mountains, a bordering area of Shaanxi and Sichuan Provinces; the golden monkey in Sichuan and Yunnan Provinces, the tiger and the white crane in the Northeast of China, and the Chinese alligator in the Yangtze River are all endangered species under the state's protection.

China has a population of about 1.3 billion, the biggest population of any country in the world. Beijing is its capital. Of all its 56 ethnic groups, Han accounts for 94% of its total population. The vast majority of its population speaks Chinese.

The Chinese language is subdivided into 7 major dialects, which are the Northern Dialect, the Wu Dialect, the Xiang Dialect, Cantonese, the Min Dialect, the Gan Dialect and the Hakka Dialect. Northern Dialect speakers exceed the speakers of any other dialect. Chinese Mandarin originated from the Northern Dialect, and it is the common language throughout China. Therefore, Chinese usually refers to Chinese Mandarin.

b. Make Chinese knots

The contents about making Chinese knots are left out.

2. The "Lead-in" to each lesson and unit

Only "Unit Lead-in" is provided for Units 1-3; while both "Unit Lead-in" and a "Lead-in" to each lesson are given in Units 4-6.

Objective —— to help students "warm up" and familiarize themselves with the words and the main content to be learned so as to foster interest in learning.

Content —— vocabulary and sentence patterns that appear in the unit or lesson.

汉语拼音方案

一 使用指南

1. 用学生母语向学生说明学习汉语拼音的主要目的——认读汉字。

2. 引导学生了解声母表、韵母表和声调表，以及拼写规则。

3. 以"你好"为例说明变调现象。

4. 结合课本中的例子说明声调不同，意义不同，声调不对可能会引起误会，以引起学生对声调的重视。

二 相关资料

1. "汉语拼音方案"的来历

对初学者来说，汉字不易认读。为了解决这个问题，学者们进行了很多年的努力。1958年公布的汉语拼音方案，采用国际通用的拉丁字母给每个汉字注音，这样会拉丁字母的人都很容易学会拼读，并靠拼音认读汉字。

2. 汉语拼音采用哪些字母？

汉语拼音采用了26个拉丁字母，它们的写法正好和英语一样，但是读法和英语不一样，用法也很不同。在这26个字母中，v 只用来拼写外来语、少数民族语言和方言。元音有5个：a，e，i，o，u；其余20个是辅音。

3. 怎样拼写汉字的读音？

通常每个汉字对应一个音节。每个音节一般由声母、韵母、声调3个部分组成。声母和韵母相拼再加声调形成音节。

(1) 声母

声母都由辅音来承担，上面说的20个表示辅音的字母都可以作声母。有时它们单独作声母，如：b，p，m，f；有时它们和另一个辅音合起来作一个声母，如：zh，ch，sh。有的音节没有辅音声母，这样的音节叫零声母音节。

(2) 韵母

韵母可以分为韵头、韵腹、韵尾三个部分。上面说的 5 个字母都可以单独作韵母，这时韵母只有韵腹，叫做单韵母。共有6个单韵母：a，o，e，i，u，ü，其中，ü用u加两点来表示。这5个字母也可以互相结合起来作韵母，叫做复韵母。复韵母的组合中，发音最响亮的那个部分叫做韵腹，其他的作韵头或韵尾。共有13个复韵母，如iao，ie，ai，ei，ou等。上述字母还可以和辅音–n或–ng合起来作带有鼻音韵尾的韵母，这样的韵母有16个，如an，ang等。

(3) 声调

汉语有四个声调：阴平、阳平、上声、去声，也称第一声、第二声、第三声、第四声，用ˉ、ˊ、ˇ、ˋ四个符号来表示。调号标在最响亮的元音上。

声调是英语为母语的第二语言学习者学习汉语的难点，教师应该把这个部分作为训练重点。

4. 汉语普通话有多少声母和韵母？

汉语普通话一共有21个声母，38个韵母。现列表如下。为了方便学过注音字母而没学过拼音方案、或学过拼音方案没学过注音字母的教师同时了解这两套注音系统，我们将注音字母和注音的汉字以及国际音标放在拼音字母下面或后面的括号中。

表一：

声母表[①] (Initials)

(1)	b [p]	p[pʻ]	m[m]	f[f]	d[t]	t[tʻ]	n[n]	l[l]
	ㄅ玻	ㄆ坡	ㄇ摸	ㄈ佛	ㄉ得	ㄊ特	ㄋ讷	ㄌ勒
(2)	g [k]	k[kʻ]	h[x]		j[tɕ]	q[tɕʻ]	x[ɕ]	
	ㄍ哥	ㄎ科	ㄏ喝		ㄐ基	ㄑ欺	ㄒ希	
(3)	zh [tʂ]	ch[tʂʻ]	sh[ʂ]	r[ʐ]	z[ts]	c[tsʻ]	s[s]	
	ㄓ知	ㄔ蚩	ㄕ诗	ㄖ日	ㄗ资	ㄘ雌	ㄙ思	

因为声母都是辅音，直接读不太容易，读的时候一般都给它们配上一定的韵母。所以上述声母可读如下表，需要时可介绍给学生。

声母读音表 (Pronounceable Initials)

(1)	bo	po	mo	fo	de	te	ne	le
(2)	ge	ke	he		ji	qi	xi	
(3)	zhi	chi	shi	ri	zi	ci	si	

---

①表一将声母分为三组，是从语音习得的角度考虑的，教师可以以组为序安排教学。

表二： 韵母表(Finals)

单韵母	复韵母		鼻韵母		
(1)　a [a]　（丫啊）	ai [ai]　（历哀）	ao [au]　（幺熬）	an [an]　（马安）	ang [aŋ]　（尢昂）	
(2)　o [o]　（乙喔）	ou [ou]　（又欧）		ong [uŋ]　（ㄨㄥ"轰"的韵母）		
(3)　e [ɤ]　（古鹅）	ei [ei]　（乀欸）		en [ən]　（ㄣ恩）	eng [əŋ]　（ㄥ"亨"的韵母）	
(4)　i [i]　（丨衣）	ia [ia]　（丨丫呀）	ie [iɛ]　（丨ㄝ耶）	ian [ian]　（丨马烟）	in [in]　（丨ㄣ因）	iang [iaŋ]　（丨尢央）
	iao [iau]　（丨又忧）	iou [iou]　（丨幺腰）	ing [iŋ]　（丨ㄥ英）	iong [yŋ]　（ㄩㄥ雍）	
(5)　u [u]　（ㄨ乌）	ua [ua]　（ㄨ丫蛙）	uo [uo]　（ㄨㄛ窝）	uan [uan]　（ㄨ马弯）	uen [uən]　（ㄨㄣ温）	uang [uaŋ]　（ㄨ尢汪）
	uei [uei]　（ㄨㄟ威）	uai [uai]　（ㄨ历歪）	ueng [ueŋ]　（ㄨㄥ翁）		
(6)　ü [y]　（ㄩ迂）	üe [yɛ]　（ㄩㄝ约）		üan [yan]　（ㄩ马冤）	ün [yn]　（ㄩㄣ晕）	
(7)　-i [ʅ]①					
(8)　-i [ʅ]②					
(9)　er [ər]					

5.零声母

　　汉语的音节一般有声母、韵母和声调，但有时候音节里没有声母，韵母可以自成音节，我们把这样的音节叫"零声母"音节。在上面的韵母表里，除了第(7)(8)两组的 -i[ʅ]、-i[ʅ]以及鼻韵母 ong，其他韵母都可以自成音节。其中 er 和 ueng 总是自成音节，不和声母相配；i，ü 或以 i，ü 开头的韵母在自成音节时要加上 y 或把 i，ü 改成 y；u 或者以 u 开头的韵母自成音节时要加 w 或者把 u 改成 w。

---

① -i 和 z, c, s 三个声母相配合使用。为便于学生理解，课本中没有列出。
② -i 和 zh, ch, sh 三个声母相配合使用。为便于学生理解，课本中没有列出。

下面是一段便于记忆的顺口溜，必要时可介绍给学生：

yw 本是两朵花，

i、ü加y，u加w。

单韵前面放一朵，

复韵前面换上它。

6.声调标在音节的哪一个字母上？

每个音节的韵母里都有一个最响的元音，声调就标在这个元音上。下面将韵母表中的各组韵母加声母拼成音节并注出常用字，标调示例如下：

(1) bà(爸) bái(白) bǎo(饱) bān(班) bāng(帮)

(2) pō(坡) pōu(剖) hóng(红)

(3) é(鹅) měi(美) mén(门) mèng(梦)

(4)① yī(一) yá(牙) yě(也) yào(要) yǒu(有) yān(烟) yīn(音)
yāng(央)

(5) wú(吴) wā(蛙) wǎ(瓦) wèi(为) wài(外) wǎn(晚) wén(闻)

(6)② yú(鱼) yuè(月) yún(云)

(7) zì(字) cí(词) sī(思)

(8) zhǐ(纸) chī(吃) shì(是) rì(日)

(9) èr(二)

下面是一段关于标调的顺口溜，必要时可介绍给学生：

a母出现不放过，

没有a母找o、e，

i、u并列在后边，

这样标调不会错。

7.几个特殊的声母

声母表中的第(3)组声母"zh，ch，sh，r；z，c，s"比较特殊，因为说英语的人和说某些汉语方言的人不容易学会，或者不容易区分。

读的时候首先要给它们配上韵母。z，c，s配第(7)组的单韵母 −i[ɿ]，zh，ch，sh，r配第(8)组的单韵母 −i[ʅ]。发音部位和发音方法的说明见第七、八两课的"参考资料"。

---

①为方便教师查找零声母第一个字母的变化形式，(4)(5)(6)三组全部按零声母形式拼写。

②ü组的韵母只有在同n，l相拼时才保留字母上的两点，以便与u区分。

zi，ci，si，zhi，chi，shi，ri 朗读舌位图

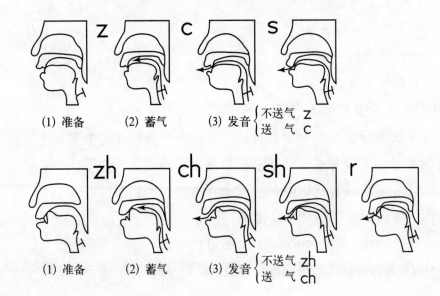

此外，对于以英语为母语的人来说，zh，ch，sh，r 和 j，q，x 这两组声母区分起来也有困难。现将 j，q，x 的朗读舌位图列在下面，请注意参考。

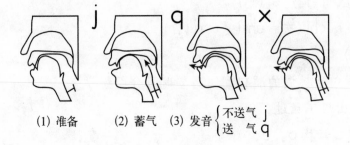

8．变调

"变调"就是声调的变化。因为任何语言在说的时候，不会一个词一个词地慢慢发音，总是把许多词组成句子，很快地说出来。不同声调的词前后相连的时候，它们就会互相影响，表现在声调上就是"变调"。下面介绍汉语里的主要"变调"现象，供参考：

（1）轻声

一般地讲，普通话有4个声调。其实，在说话的时候，有的字的声调常常变得很轻，不再有四声的特点，这就是轻声。轻声不是第五个声调，只是声调临时的变化。读轻声的字一般都有自己的声调，常常因为说话的时候这个音节的前一个音节读得

比较重，后一个音节就变轻了，失去了原来的声调。

轻声有区别意义的作用，比如"rén jiā（人家，household or family）"（名词）和"rén jia（人家，a person or persons other than the speaker or hearer）"（代词）。一些双音词的第二个音节常常要读轻声，比如：xué sheng（学生），hù shi（护士）等。一些语法成分也常常读轻声，比如表示复数的 men（们）、助词 de（的、地、得）等。

轻声音节的上面一般不标调，如果一定要说明，也可以在标调的字母上画一个小圆圈，如：xué sheng。

（2）第三声的变调

第三声的变调有两种。

第一种，两个第三声的音节连在一起说的时候，前一个第三声变得好像第二声，比如"nǐ hǎo"是两个第三声相连：

听起来像第二声：

下面是一些两个三声相连的词语：

nǐ hǎo（你好），shuǐ tǎ（水塔），shǒu biǎo（手表），xǐ zǎo（洗澡），hǎi dǎo（海岛），yǔ fǎ（语法），wǔ dǎo（舞蹈），guǎng chǎng（广场），lěng shuǐ（冷水），yǒng yuǎn（永远），jǔ shǒu（举手），cǎi fǎng（采访）。

第二种，第三声的音节后面有第一、二、四声的音节时，从2降到1，不上升，直接读下一个音节，比如"hěn gāo（很高），hěn cháng（很长），hěn dà（很大）"：

下面是第三声后面有第一、二、四声的词语:

A. yǔ yī (雨衣), lǎo shī (老师), běi fāng (北方),

shǒu xiān (首先), yǎn chū (演出), hǎi jūn (海军),

běi jīng (北京), huǒ chē (火车), xiǎo shuō (小说);

B. yǔ yán (语言), lǚ xíng (旅行), xiǎo xué (小学),

jiǎn chá (检查), jǔ xíng (举行), yǎn yuán (演员),

qǐ chuáng (起床), jiě jué (解决), zhǔ chí (主持);

C. měi lì (美丽), kě pà (可怕), gǔ dài (古代),

mǎ lù (马路), fǎng wèn (访问), guǎng dà (广大),

tǔ dì (土地), wǔ shù (武术), xiě zì (写字), gǎn xiè (感谢)。

第三声的变调在《跟我学汉语》中标注本调,请注意引导学生注意调值的变化。

(3) "一""不"的变调

① "一"的变调

"一"单独读,在词句末尾,或者表示基数、序数时,读第一声。如:

一、二、三、四、五、六、七、八、九、十

wǔ yī (五一) tǒng yī (统一) zhěng qí huà yī (整齐划一)

在第四声的词前面读第二声。如:

yí gè (一个) yí liàng (一辆) yí zhì (一致) yí qiè (一切)

在不是第四声的词前面读第四声。如:

yì kǒu (一口) yì bēi (一杯) yì zhī (一只) yì nián (一年)

yì tiān (一天)

在词语的中间读轻声。如:

kàn yi kàn (看一看) shì yi shì (试一试) tīng yi tīng (听一听)

② "不"的变调

"不"单独读,在词句末尾,或在不是第四声的词前面时,读第四声。如:

bù (不) wǒ jiù shì bù (我就是不)

bù tīng huà (不听话) bù guān mén (不关门)

bù chī dōng xi (不吃东西)

在第四声的词前面读第二声。如：

bú shì (不是)　bú qù (不去)

bú kàn diàn yǐng (不看电影)　bú huì chàng gē (不会唱歌)

在词语的中间读轻声。如：

qù bu qù (去不去)　wán bu wán (玩不玩)

xiǎng bu xiǎng (想不想)

请注意，为了方便学习，《跟我学汉语》中"一""不"都标注变调。

9. 汉语主要元音舌位图

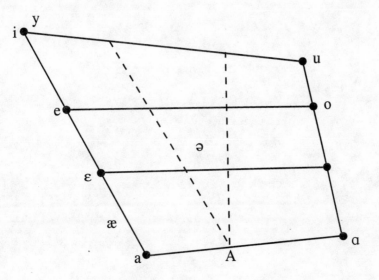

第一单元　学校、同学和老师

单元介绍

　　这个单元一共有六课，主要目的是帮助学生了解如何在学校这一交际场合主动向别人介绍自己，了解别人的有关信息，尽快掌握用汉语进行简单交际的技能。

　　本单元从一个新学生——王家明进入班级开始。课文内容围绕王家明和林老师以及大卫、玛丽、杰克等同学的课堂活动和业余生活展开，同时向学习者介绍汉语日常用语和相关的文化知识。

1 你 好

一、教学目的

1. 学会最基本的打招呼用语和自我介绍；

2. 熟悉汉语拼音的字母和拼法；

3. 初步感知汉字字形。

二、教学内容

1. 交际功能：(1) 打招呼

                (2) 自我介绍

2. 语言要点：(1) 人称代词

                (2) 动词谓语句：我叫……

3. 语音教学：(1) 以第一课课文中的词语为例，帮助学生熟悉汉语音节的拼合

                （详见本课"参考资料"）

                (2) 介绍零声母的概念

                (3) 学唱拼音字母歌

4. 学习课堂用语

5. 初步感知汉字字形

三、教学建议

这一课应在完成文化导入、拼音知识以后开始，"你好"可以在此前教。

1. 先学课文并做相关练习，再练习语音，唱歌，看汉字。

2. 关于练习和课堂活动

在学习完课文后，先做"读一读"和"练一练"的练习，然后根据时间和本班同学的情况选择进行一项或者两项活动。

(1) 关于练习

第一单元练习中的"读一读"根据课文进行不同情景的扩展，给出了完整的语

言材料，可以让学生先读一读，然后进行成对的练习和表演。"练一练"要求学生根据课文的内容自己完成句子，此时教师要坚持让学生自己完成句子（如果中等水平的学生不能自己完成句子，就让高水平的学生先做，然后再让中、低水平的学生做）。

(2) 关于课堂活动

活动1是围绕打招呼的主题设计了一个音乐活动"你好"。

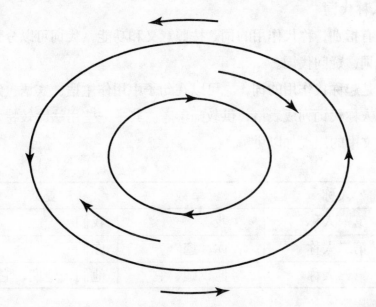

A：你好，我叫 ＿＿＿＿＿。

B：你好，我叫 ＿＿＿＿＿。

放音乐，学生们在教室里围成内外两个大圈，反方向在教室中行走（如图，或者自由行走也可以）。行进中音乐突然停下来，学生与另一个圈中离自己最近的同伴打招呼，自我介绍"你好，我是……"。这个活动的目的主要是让学生动起来，在音乐游戏中练习打招呼，增加练习的趣味性。游戏的过程中，教师应该密切注意学生的反应，最好在学生玩得比较高兴以后，再进行1～2次就结束。不要玩得太长，在学生产生乏味的感觉前结束。

活动2是游戏"男孩和女孩的名字"。这个活动课后练习中有，教师可以先将班上同学的中文名字按男女分成两部分，写在黑板上，询问名字的意义。然后同学们总结在汉语中哪些是男孩子常用的名字，哪些是女孩子常用的名字（用拼音）。最后，还可以给没有中文名字的学生取名字。这个游戏有一些文化内容，教师可引导学生根据本班的情况，找到一些汉语中常用的男孩和女孩的名字，并且和英语中常见的名字相比较，以增强学生对中文名字的兴趣。

3.语音训练策略

说明特殊的"声韵连读音节""零声母音节"和"变调"。

四、参考资料

1.课文注释与语法说明

(1)关于人称代词

代词是具有指别、称代作用的词。按照意义和功能，代词可以分为三类：人称代词、指示代词、疑问代词。

人称代词是起称代作用的词，它可以在句子中用作主语、宾语、定语等。我们把一些常用的人称代词列成表格，供教师参考。其中一些用法比较特殊的代词，我们将随着在课文中的出现加以讲解。

人称	单数	复数
第一人称	我	我们
第二人称	你，您	你们
第三人称	他，她，它	他们，她们，它们

(2)我叫王家明。

"我叫……"用来向别人介绍自己的名字。可参考第三课的"课文注释与语法说明"。

2.语音教学

(1)关于词语的拼读

①"你好"是两个上声连读，根据变调规则，"你"改读第二声；

②"我""王"和"卫"都是零声母音节，拼写音节时要把u写成w。（关于变调和零声母的详细资料请参看本书"拼音方案"）

(2)拼音字母歌

让学生听音乐并跟唱。

3.汉字教学

本单元前三课不涉及汉字的知识与教学，之所以要出现"汉字的构造"这一内容，目的是要学生对汉字有一个整体的、感性的认识，了解汉字与他们的母语所使用的文字的差别，并不要求学生们认识，更不要求他们会写。从第四课之后陆续出现汉字的知识。

4. 文化：中国人的问候语

中国人彼此见面时一般都说"你好"，这是中国人最常用的问候语，它在一天的任何时候都可以用，不管见面的人是初次相识还是老朋友。有时在早上和晚上，中国人也用"早上好""晚上好"等来问候别人，但在一般的口语中使用得很少。当中国人说"您好"时，表示尊敬，被问候的人是老人、年长的人或是身份、地位比较高的人。而"老师好"只是特定的问候语，只适用于学生对老师的问候。

有一句问候语让很多外国人感到好奇和有趣，那就是中国人见面时常用"吃了吗"来向对方打招呼，被问候的人可以用"吃了""没有"等来回答。要注意的是，这句问候语并不是任何时候用都适当，一般在一日三餐前后遇到朋友或熟识的人时使用。这种问候语现在用得越来越少。与此类似的问候语还有"你去哪儿"，一般在路上遇到朋友或熟人时用，被问候的人可以告知实情，但一般都简单地回答说"我出去""出去一下""我到外边去"等，因为"你去哪儿"这句问候语并不一定表明问候者真的想知道被问候者去什么地方，它只不过是一种打招呼的方式而已。

2 再见

一、教学目的

1. 学会最基本的课堂打招呼用语，让学生接触课堂规范用语；

2. 学会最基本的告别用语；

3. 开始实践汉语拼音的拼法；

4. 初步感知汉字字形。

二、教学内容

1. 交际功能：(1) 打招呼

　　　　　　　(2) 告别

2. 语言要点：(1) 词缀"们"

　　　　　　　(2) 问候语"老师好"

3. 语音教学：(1) 听力练习（录音文本见本课"参考资料"）

　　　　　　　(2) 辨音练习（录音文本见本课"参考资料"）

　　　　　　　(3) 拼读实践——b，p，m，f 和 a，o，e 组韵母相拼（参看参考

　　　　　　　　　资料"关于发音规则"）

4. 学习课堂用语

5. 汉字教学：初步感知汉字字形

三、教学建议

1. 先学课文并做相关练习，再练习语音，看汉字。

2. 关于课堂活动

本课设计了两个活动。

活动1是制作"纸风转"，让学生根据课本上的步骤手工制作"纸风转"。

活动2是一个语言训练的纸牌游戏：该说什么？

第一步：两个人一组制作小卡片（用小纸片制作，或者从教材上的卡片中挑选），

一共4张。第一张是"同学们"，第二张是"老师"，第三张画一个同学（或者"同学"的卡片），第四张是"再见"。

第二步：两个人一组玩纸牌游戏。先玩前1~3张纸牌。把3张纸牌扣过去，混合后两人任意抽牌，根据自己抽到的角色进行对话。例如，自己抽到的是"同学们"，对方抽到的是"老师"，那么自己应该先说："老师好！"对方说："同学们好！"玩之前先想一下一共会碰到哪几种情况，用拼音在下面写好该说什么。

A 同学们："_____" 老师："_____"

B 同　学："_____" 老师："_____"

C 同学们："_____" 同学："_____"

第三步：加上第四张牌"再见"。抽到这张牌时对方就不需要再抽牌了，彼此说"再见"即可。

3. 语音训练策略

学会拼音有助于学生认读汉字，正确发音有助于学生说好汉语。要做到这些，前提是辨别清楚听到的每一个音，应要求学生把语音听准、读准，打好基础。可利用本课的语音练习加强训练。从这一课开始，一直到第二单元结束，可以要求学生把已学课文中的词语的每一个音节拆开，重组。考查：a. 是否拆得对；b. 弄清重组的音节哪些在现代汉语中不存在。(可利用每一课的"音节表"或学生用书附录中的"普通话声母韵母拼合总表"在课堂上讨论)

第二课与第三课的语音练习重点是b，p，m，f与各个相关韵母的拼合。第二课的韵母比较容易发音，但到第三课应回过头来复习一下，使学生有完整的概念。

四、参考资料

1. 课文注释与语法说明

(1) 同学们好！

"们"是一个词缀，用在表示人的名词或代词后，表示多数。如"同学们""老师们""朋友们"等等。

注意：英语在表达复数时，一般在名词后加 s，这个 s 在句子中是不能省略的，但在汉语中，名词前面有数量词时，名词后面不能加"们"。例如：

我们班有三十个学生。

我有很多好朋友。

(2) 关于"老师好"这一问候语

"老师好"是学生在校园里向老师问候、打招呼的常用语，它可以在老师走进课堂时使用，也可以在校园里见到老师时使用。

注意："老师好"这一用语可以看作是"老师，您好"的省略，"老师"是一个呼语。按照汉语的习惯，学生见到老师时一般先称呼"老师"，然后再问候。

2. 语音教学

(1) 关于词语的拼读

"们"是轻声。详细资料参看本书"拼音方案"。

(2) 关于发音规则

从发音部位看，b、p、m是双唇音。从发音方法看，b、p叫塞音，发音时双唇紧闭，使气流通路完全阻塞，然后突然打开，让气流爆发出来。b不送气，p送气。d、t和g、k是另外两对塞音，也有不送气跟送气的对立，但发音部位跟b、p不同。教学时可以分别对比练习。从发音方法看，m是鼻音，发音时双唇紧闭，使口腔的通路完全阻塞，软腭下降，打开鼻腔通路，让气流完全从鼻腔出去。另一个声母n也是鼻音，但发音部位跟m不同。

从发音部位看，f是唇齿音。从发音方法看，f是擦音，发音时下唇跟上齿接触，使气流通路缩小，不完全阻塞，让气流从狭小的通路中出去，发出有摩擦的声音。s、sh、r、x、h是另外几个擦音，但发音部位跟f不同。

(3) "听力练习"录音文本

A 男　孩：老师好！我叫大卫。

　女教师：你好！

B 男　孩：老师再见！

　女教师：再见！

(4) "辨音练习"录音文本

bā，bā；pài，pài；máo，máo；máng，máng；

bèi，bèi；fēn，fēn；péng，péng；móu，móu。

以上音节每个读两遍，要求学生根据课本中的各项选出所听到的音节，再读一读。

3. 文化：告别语

中国人告别时一般说"再见"。如果约好以后什么时候再次见面，也可以说"一会儿见""回头见""以后见""明天见"等。在年轻一代中，告别时也常常说"拜——""拜拜"，这是英文"bye-bye"一词的音译。

中国人和客人告别时，一般都要送到门口，并说"慢走""您慢走"一类的告别语。

3 我是王家明

一、教学目的

1. 学会把打招呼用语扩展到校园环境；

2. 学会主动向别人自我介绍，并介绍他人认识；

3. 进一步实践汉语拼音的拼法；

4. 初步感知汉字字形。

二、教学内容

1. 交际功能：自我介绍与介绍他人认识

2. 语言要点：(1) 关于动词谓语句

            (2) "我是……""我叫……"句式

3. 语音教学：(1) 听力练习（录音文本见本课"参考资料"）

            (2) 辨音练习（录音文本见本课"参考资料"）

            (3) 拼读实践——b，p，m，f和i，u组韵母相拼（参看第二课"关于发音规则"）

4. 学习课堂用语

5. 汉字教学：初步感知汉字字形

三、教学建议

1. 先学课文并做相关练习，再练习语音，看汉字。

2. 关于课堂活动

本课设计了两个课堂活动。

活动1是角色游戏"介绍"。5～6个人分小组进行"介绍"练习。其中一个人假扮家长，另一个学生假扮孩子，给他介绍自己的同学。小组内轮流假扮家长、孩子，每个人介绍一次。

活动2是游戏"猜猜我是谁？"用布蒙上一个同学的眼睛，别的同学轮流用汉语说"你好，我是……"。和他打招呼时故意说错，把自己说成某个非常有名的人或者是班上其他同学的名字，让他猜猜跟他打招呼的同学究竟是谁。

3. 语音训练策略

请注意复习 b，p，m，f 与 a，o，e 的拼合。

四、参考资料

1. 课文注释与语法说明

(1) 关于动词谓语句

动词谓语句就是动词作谓语的句子，主要用来叙述人或事物的动作行为、心理活动、变化发展等。"我叫……"和"我是……"都是动词谓语句的结构。动词谓语句结构类型比较复杂，我们将随着接触到的不同类型加以介绍。

(2) "我是……"与"我叫……"的语用差异

"我是……"和"我叫……"都是动词谓语句，都用来向别人介绍自己，但它们在使用上有所不同。

"我叫……"只用来介绍自己的名字，它回答的问题是"你叫什么名字"，而它的前提是问话人对说话人的情况已经有所了解。如第一课王家明与大卫见面时，彼此都知道他们是同学，但不知道彼此的名字，因此直接自我介绍"我叫……"。

"我是……"回答的问题是"你是谁？"或"你是做什么的？"，它可以用来介绍说话人的身份、职业等问话人所要获得的信息。当用它来介绍自己的名字时，它所强调的是"是这个人"而不是另一个人，它的前提是对方知道有这个名字。如第三课王家明向老师介绍自己的名字，其前提是老师已经知道有一个叫王家明的学生选了课，但不知道王家明是哪一个。又如，当你给家里人打电话时，应该说"我是……"，因为家里人知道你是谁。当你向一个对你没有任何了解的人介绍自己时，你要先说明你是谁（身份、职业等有关的信息），再介绍你叫什么。教师可以结合课本上的情景扩展，使学生清楚什么时候说"我叫……"，什么时候说"我是……"。

2. 语音教学

(1) 关于词语的拼读

"玛丽"（mǎ lì）一词中，"玛"在非第三声前变成半三声（详细资料参看本书"拼音方案"）。

(2) 关于发音规则

参看第二课"关于发音规则"。

(3) "听力练习"录音文本

男孩甲：林老师好！我是王家明。

女教师：你好！

女　孩：你好，王家明！我叫玛丽。

男孩乙：你好！我叫杰克。

(4) "辨音练习"录音文本

mí, mí; biē, biē; piào, piào; miǎn, miǎn;

pá, pá; bǔ, bǔ; pìn, pìn; míng, míng。

3. 文化：中国人的姓名

中国人的名字由两部分组成，前面是"姓"，后面是"名"，如一个人叫"王家明"，则表明他姓"王"，名"家明"。你可以直接称呼他的姓名"王家明"，也可以只称呼他的名字"家明"，这样一般表示亲切或关系亲密。如果称呼他"小王"，则一般适用于比王家明年长的人以表示亲切。

中国人的姓很多。据统计，中国古今姓氏约有22 000个左右。现代中国人的姓氏有3 500个左右，但最常用的姓仅有100个左右。中国人的姓大多有来源可寻。如一个人姓"姬"，那么他（她）的先祖很可能来源于古代的周部族。中国人的名字也多包含着一定的意义，如果他（她）名叫"志远"或"美云"，那么说明他（她）的父母希望他（她）成为一个志向远大的人或者像美丽的云彩一样漂亮。中国人给孩子起名字时，一般都寄予着希望孩子将来健康、漂亮、幸福、有前途的情怀。

4 谢 谢

一、教学目的

1. 学会表示感谢以及对别人谢意的应答；

2. 学会询问别人的名字；

3. 进一步实践汉语拼音的拼法；

4. 学习认、写汉字。

二、教学内容

1. 交际功能：(1) 感谢及其应答

(2) 询问他人姓名

2. 语言要点：(1) 关于疑问代词

(2) 疑问代词"什么"

3. 语音教学：(1) 听力练习（录音文本见本课"参考资料"）

(2) 辨音练习（录音文本见本课"参考资料"）

(3) 拼读实践——d，t，n，l和a，o，e组韵母相拼（见参考资料"关于发音规则"）

4. 学习课堂用语

5. 汉字教学：(1) 开始学习认字、写字。

(2) 教授汉字的三种基本笔画：丶（点），一（横），丨（竖）。

(3) 练习：辨认笔画并练习书写。

三、教学建议

1. 从这一课开始介绍汉字的源流，除了学课文、做练习以外，要花一定时间引导学生了解汉字字形的演变，引起兴趣。同时语音的练习还是相当重要的部分，要给予重视。

2. 关于课堂活动

本课的活动很简单，关键在于教师拍打桌子时声音要越来越急促，让学生产生紧张感，这样遇到同伴说话时才有新鲜感。此游戏不宜玩得太长，4～5次为宜。如果有小鼓，用小鼓代替拍桌子效果更好。

3. 语音训练策略

参看第二课"策略"。

第四课与第五课是 d、t、n、l 与相关韵母的拼合，要注意与下一课照应。注意"不"读变调。

四、参考资料

1. 课文注释与语法说明

(1) 关于疑问代词

疑问代词是表示疑问的词，是构成疑问的手段。要根据所问的内容来选择使用不同的疑问代词。在汉语中，常用的疑问代词有如下几种：

疑问内容	疑问代词
人、事物	谁，什么，哪
处所	哪里，哪儿，什么（地方）
时间	什么（时候）
性质、状态、方式、程度	怎么，怎么样，怎样
数量	几，多少

(2) 疑问代词"什么"

"什么"作为一个疑问代词，通常用来询问事物，在句子中可以作主语、宾语，也可以作定语。如：

① 作主语：什么是 WTO？

② 作宾语：你想吃什么？他在做什么？

③ 作定语：你叫什么名字？你做什么工作？你喜欢什么颜色？你在看什么书？

注意："什么"在作定语、表示修饰关系时，"什么"与中心词之间一般不用"的"。

2. 语音教学

(1) 关于词语的拼读

"谢谢"，第二个"谢"读轻声（详细资料参看本书"拼音方案"）。

(2) 关于发音规则

从发音部位看，d、t、n、l是舌尖音。从发音方法看，d、t是塞音，发音时舌尖对上齿龈，使气流通路完全阻塞，然后突然打开，让气流爆发出来。d不送气，t送气。b、p和g、k是另外两对塞音，也有不送气跟送气的对立，但发音部位跟d、t不同。教学时可以分别对比练习。

从发音方法看，n是鼻音，发音时舌尖对上齿龈，使口腔的通路完全阻塞，软腭下降，打开鼻腔通路，让气流完全从鼻腔出去。另一个声母m也是鼻音，但发音部位跟n不同。

从发音方法看，l叫边音。发音时舌头中间的通路堵塞，气流从舌头两边出来。

(3) "听力练习" 录音文本

A 女人：你好！你叫什么名字？

男孩：我叫大卫。

B 女人：谢谢你！

男孩：不客气！再见。

女人：再见！

(4) "辨音练习" 录音文本

dǎ, dǎ；lài, lài；tāo, tāo；háng, háng；

děng, děng；nèn, nèn；tāng, tāng；lóng, lóng。

3.汉字教学

(1) 汉字概说

文字是记录语言的书写符号，是扩大语言在时间和空间上的交际功能的最重要的辅助工具。文字有表意文字和拼音文字两大类型，汉字大体上属于表意文字体系。

汉字是记录汉语的文字，是世界上最古老的文字之一。汉字的形体呈方块形，构造比较复杂。

任何文字都是由图画演变而来的，汉字也不例外。现存的最古老的、可识的汉字是三千多年前的甲骨文。自此以后，汉字经历了金文、大篆、小篆、隶书、楷书等多次演变，形成了今天的汉字系统。

甲骨文 又称卜辞、殷墟文字等，主要指商代契刻在龟甲、兽骨上的文字。它是目前我们能见到的、记录了大量古代汉语的最早的文字，字体还保留着很浓厚的图画色彩。

金文 又称钟鼎文，是古代铸在青铜器物上的文字，所以笔画比较粗重。金文的大部分字形依然沿袭了甲骨文的特点。

大篆　指流行于战国时期的一种文字形体。它上承甲骨文、金文，下启小篆。最有代表性的是秦国的"石鼓文"。

小篆　指秦始皇统一中国之后实行的标准文字，许慎的《说文解字》就记录了九千多个小篆字形。小篆是中国文字史上最后一种古文字字形，是对古文字形体进行全面整理的结果，所以还保留着古文字的特点。

隶书　发展到隶书，汉字的形体发生了很大的变化——由图形变为笔画、由象形变为象征、由复杂变为简单。从隶书开始，汉字走向了今文字的阶段。

楷书　也叫真书、正书，它产生很早，一直沿用至今。

其他如草书、行书等属于书法范畴，并不是文字的形体问题。

(2) 汉字的笔画

笔画是构成汉字形体的最小单位。据统计，汉字的笔画有二十几种，其中最基本的有五种：一（横），丨（竖），丿（撇），丶（点），乛（折）。其他的笔画都是由这五种基本笔画演变而来的，如：乚（竖折）、乛（横钩）、乁（斜钩）、亅（竖钩）、乚（竖折钩）、乛（横折钩）、乁（横折弯钩）等等。

本课只讲授三种笔画：丶（点），一（横），丨（竖）。

对学习笔画的要求：① 记住基本笔画的名称、写法。② 能准确地辨认基本笔画。③ 能正确书写基本笔画。

注意培养学生们对于汉字形体的兴趣，可以为各种笔画搭配形象的比喻，为下一单元讲授笔顺知识打基础。

4. 文化：仓颉造字

汉字是怎么来的？实际上汉字最早只是一种用以记事的图画或图形，然后逐步地演化成了真正的文字，这是古代中国人集体智慧的结晶。不过，在中国历史上也流传着"仓颉造字"的传说。传说中的仓颉是一位天神，他有四只眼睛，眼睛里金光四射。仓颉看到了鸟兽的足迹，受到了启发，从而创造了汉字。仓颉因此被称为"字祖"。

5　她们是学生吗

一、教学目的

1. 学会询问别人的身份；
2. 学会表达否定；
3. 进一步练习汉语拼音的拼法；
4. 学习认、写汉字。

二、教学内容

1. 交际功能：(1) 询问他人身份
   　　　　　(2) "否定"的表达
2. 语言要点：(1) 是非疑问句
   　　　　　(2) 疑问语气词"吗"
   　　　　　(3) 否定副词"不"
3. 语音教学：(1) 听力练习（录音文本见本课"参考资料"）
   　　　　　(2) 辨音练习（录音文本见本课"参考资料"）
   　　　　　(3) 拼读实践——d, t, n, l和i, u, ü组韵母相拼（参看第四课"关于发音规则"）
4. 学习课堂用语
5. 汉字教学：本课的任务是在前一课的基础上继续教授汉字的笔画。
   　　　　　(1) 教授其余的三种基本笔画：丿(撇)，㇏(捺)，乛(横钩)。
   　　　　　(2) 练习：辨认笔画并练习书写。

三、教学建议

1. 先学课文并做相关练习，再练习语音，认、写汉字。这一课开始介绍较复杂的笔画，要注意让学生分清"丿"和"㇏"，这是学生在写字中常混淆的两个笔画。
2. 关于课堂活动

本课设计了一个游戏活动：猜心思。

学生两个人一组，写下熟悉的老师、同学、校长的名字各一个。A从中选择一个名字记在心里，不告诉B。B不断地问问题："是老师吗？""是学生吗？"猜测对方心中想的是哪一个人。A只能回答"是，他是……"或者"不，他不是……"。猜测几次后交换，看谁能更快地猜出对方的心思。

"猜心思"游戏的关键是让学生先写好名字，然后再玩游戏。教师根据学生玩的情况，可以通过增加名字的数量来增加游戏的难度和趣味性。

3. 语音训练策略

参看第二课"策略"。

这一课介绍的拼合关系与第五课相关，要注意复习，注意 ü 和 u 的区别。

四、参考资料

1. 课文注释与语法说明

(1) 她们是学生吗？

这是一个是非问句。在陈述句的末尾加"吗"就构成了是非问句。"吗"是一个语气助词，在句子中通常用来表示疑问。如："你去商店吗？""他叫 Jack 吗？"

是非问句的回答或者是肯定的，或者是否定的。肯定的一般用"是"或"对"来回答，否定的一般用"不"或"没有"来回答。例如：

你是学生吗？ —— 是，我是学生。

他教汉语吗？ —— 不，他不教汉语。

关于用"没有"来回答，可以参考以后的内容，在这里只向学生介绍用"是"或"不是"回答的句子。

(2) 他不是老师。

"不"是否定副词，用在动词或形容词的前面，表示对主观愿望和性质状态的否定。如：

她不去商店。

我不学汉语。

这儿的冬天不冷。

2. 语音教学

(1) 关于词语的拼读

"不"在第四声前变调，读第二声（详细资料参看本书"拼音方案"）。

(2) 关于发音规则

参看第四课"关于发音规则"。

(3)"听力练习"录音文本

女孩：她是校长吗？

男孩：不，她不是校长，她是老师。她是林老师。

女孩：他们是学生吗？

男孩：是，他们是学生。

(4)"辨音练习"录音文本

tí，tí；niè，niè；diào，diào；tīng，tīng；
lǔ，lǔ；niú，niú；luǎn，luǎn；niáng，niáng。

6 他们是我的朋友

一、教学目的

1. 总结第一课到第五课的内容，以介绍和自我介绍为主；

2. 学习成段表达；

3. 语音第一阶段总结；

4. 继续练习汉语拼音的拼法；

5. 学习认、写汉字。

二、教学内容

1. 交际功能：综合介绍自己与他人

2. 语言要点：(1) 关于定语

           (2) 结构助词"的"

3. 语音教学：(1) 听力练习（录音文本见本课"参考资料"）

           (2) 辨音练习（录音文本见本课"参考资料"）

           (3) 拼读实践——g, k, h, j, q, x 和 a, e, i, u, ü 组韵母相拼

           （见参考资料"发音规则"）

4. 学习课堂用语

5. 汉字教学：学习认字，在写字中练笔画

三、教学建议

1. 这一课在交际任务方面是对入门的基本交际功能进行总结，要引导学生学习用成段的话语表达。在语音方面则进入重要阶段，第6～8课的声母对以英语为母语的学生来说都是难点所在，要多花时间练习。汉字教学则开始进入简单笔画组合形成的复杂笔画，注意引导并总结所学的主要笔画。

2. 关于练习和课堂活动

(1) 歌曲"找朋友"

先学习中文歌曲《找朋友》，然后全班玩"找朋友"游戏，边唱边在教室里找"朋友"。当唱完"找到一个好朋友"时，每个人应该找到一个好朋友。两个人面对面站好，随着歌词"敬个礼，握握手"做敬礼和握手的动作。唱"你是我的好朋友，再见！"时，跟对方挥手再见，然后又开始新一轮游戏。

(2) 角色游戏：介绍

学生分小组，每小组5~6人，根据课文练习介绍。每个人都在小组内练习，然后推选1人代表本小组，在全班表演介绍本小组成员。这个活动是复习性的总结，可以让学生根据所学习的内容自己创设更多的情景进行练习。

3. 语音训练策略

参看第二课"策略"与本课"参考资料"。

g、k、h与j、q、×是两组有互补关系的声母，训练时要加以对照。g、k、h对英语为母语的学生不难，但j、q、×较难，如加以对照，就容易区分并学会。

四、参考资料

1. 课文注释与语法说明

(1) 他们是我的朋友。

第三人称代词复数"他们"指男性，"她们"指女性。当第三人称复数既包括男性又包括女性时，用"他们"。

(2) 关于定语

定语的定义　定语是一种修饰语，一般用来修饰名词和名词性词组。被修饰的成分叫中心语，修饰的成分就叫定语。比如"我的老师""漂亮的衣服"中"我（的）""漂亮（的）"就是定语。在汉语中，可以作定语的词很多，名词、形容词、代词、数量词等都可以作定语。

定语的特点　在汉语中，定语一定要放在它所修饰的词语前面，这是与英语的不同之处。

定语的分类　从定语与它所修饰的中心语在意义方面的关系来看，定语一般可以分为两类：一是限制性的定语，一是描写性的定语。所谓限制性定语，是指从数量、时间、归属、处所等方面对中心语加以限制的定语，它的作用是说明中心语所属的范围。本课中"他们是我的朋友"，"我"就是限制性定语。

(3) 关于结构助词"的"

结构助词"的"可用来连接定语及其中心语，是定语的语法标志。代词作定语表示领属关系时，一般要用"的"，如"我的朋友""他们的教室"。但在如下两种情况下，"的"可以不用：

a. 表示亲戚关系且代词是单数，"的"可以不用。如"我妈妈""他姐姐"。

b. 被修饰的词语是表示所属组织、单位的名词，一般可以不用"的"。如"我们班""他们学校"。

关于定语以及结构助词"的"的用法，教师在此不必作过多的语法说明，只就课文中出现的句型作相关的扩展即可。

2. 语音教学

(1) 关于词语的拼读

"的"读轻声（详细资料参看本书"拼音方案"）。

(2) 关于发音规则

b、p，m、f，d、t、n、l分别是一组双唇、唇齿和舌尖音（发音方法参看第二课至第五课的"关于发音规则"）。

从发音部位看，g、k、h是舌根音。从发音方法看，g、k是塞音，发音时舌面后部接触软腭前部，使气流通路完全阻塞，然后突然打开，让气流爆发出来。g不送气，k送气。b、p和d、t是另外两对塞音，也有不送气跟送气的对立，但发音部位跟g、k不同。教学时可以分别对比练习。从发音方法看，h是擦音，发音时舌面后部接触软腭前部，使气流通路缩小，不完全阻塞，让气流从狭小的通路中出去，发出有摩擦的声音。f、s、sh、r、x是另外几个擦音，但发音部位跟h不同。

从发音部位看，j、q、x是舌面音。从发音方法看，j、q是塞擦音，发音时让舌面前部接触硬腭，让气流完全阻塞，然后慢慢打开，留出一个狭小的通路，让气流挤出来。j不送气，q送气。z、c和zh、ch是另外两对塞擦音，也有不送气跟送气的对立，但发音部位跟j、q不同。教学时可以分别对比练习。

g、k、h和j、q、x这两组声母在和韵母相拼时，形成一种互补的局面。即g、k、h只和u相拼，j、q、x只和i、ü相拼，要引导学生注意这个现象，这样容易记住。

(3) "听力练习"录音文本

男孩：王老师好！

女人：你好！你叫什么名字？

男孩：我叫大卫。她是我的朋友，她叫玛丽。

女人：你好，玛丽！她是Emily，他是Tom，他们也是中学生。

(4) "辨音练习"录音文本

kù，kù；guā，guā；huǒ，huǒ；guàn，guàn；

xī，xī；jūn，jūn；qià，qià；xiǎng，xiǎng。

3. 汉字教学

(1) 结合已经学过的课文中所出现的汉字，将由五种基本笔画演变而成的其他一些笔画简单地讲给学生。如：竖折（乚）、横钩（⺄）、竖弯钩（乚）、横折钩（𠃌）、横折弯钩（乁）等等。

(2) 练习：

① 辨认笔画，并练习书写。

② 结合整个单元所学的内容，配以游戏（如做成笔画的模型让学生们拼合等），全面地培养学生对于汉字的感性认识。

第一单元评估与测验

一、学习兴趣与态度的评估

在学习第二语言的初级阶段,学生们是否有学习兴趣是评估教学效果的重要指标。教师要注意观察学生情绪情感方面的表现,例如:

1.在学习新课文时,学生的注意力是否集中,有没有学习的欲望。

2.做练习和课堂活动时学生的情绪是不是很饱满,能不能主动练习,是否积极与同学们配合。

3.学习语音时,有没有兴趣,能不能积极练习。

4.学习拼音歌和课文中的歌曲时是否有兴趣,是否爱唱。

二、语言技能的评估

1.听生词,写拼音。

老师朗读下列词语,请同学们写出拼音:

同学 (2①)、老师 (2)、再见 (2)、谢谢 (4)、名字 (4)、校长 (5)、他们 (6)、你们 (3)、我们 (6)、朋友 (6)、中学生 (6)。

2.给句子注音。

老师在黑板上写出下列句子,请同学们给句子注上汉语拼音。

(1) 你好! (第1课)

(2) 我叫王家明。(第1课)

(3) 老师好! (第2课)

(4) 她是玛丽,他是杰克。(第3课)

(5) 不客气! (第4课)

(6) 你叫什么名字? (第4课)

(7) 他是校长吗? (第5课)

---

① 注:括号内为该生词所在课数。

(8) 他们是你的朋友吗？（第6课）

3. 标调号。

教师在黑板上给出下列拼音形式的句子，请同学们标上调号，然后读一读，看看这个句子是什么意思。

(1) tā jiào wáng jiāmíng。（第1课）

(2) tóngxuēmen hǎo！（第2课）

(3) lǎoshi hǎo！（第2课）

(4) zàijiàn！（第2课）

(5) xièxie nǐ！（第4课）

(6) tāmen shì xuésheng。（第5课）

(7) tā bú shì lǎoshi，tā shì xiàozhǎng。（第5课）

(8) wǒ shì tā de péngyou。（第6课）

4. 学生会话能力的考查

每学习完一课，教师可以根据本课的功能，主动和同学们打招呼，或者随机提问，让同学们回答，考查其掌握情况。例如：

第1课：你好！

第2课：同学们好！再见！

第3课：你们好！

第4课：谢谢你！你叫什么名字？

第5课：你是老师吗？（某个学生的名字）是老师吗？

第6课：（某个学生的名字）是你的朋友吗？请你把你的朋友们介绍给班上的同学（此句可以用英语）。

学生用书中每单元后有本单元语法和功能的总结，教师可以带领同学们复习，并在此过程中考查他们的会话能力。

评估建议：最好每课后复习、评估一次，单元结束后再总复习、评估一次，两次复习和评估相结合。这样通过评估帮助同学们反复复习，提高学习效率。

第二单元　朋友和伙伴

单元介绍

　　这个单元在话题上从学校环境推进到朋友和伙伴之间，在语言功能上涉及朋友之间的交流和友谊的发展，以及有关交朋友问题的简单讨论。在语言结构上主要是第一单元句式的进一步扩展和丰富，并引入用汉语说数字的教学。

　　人物活动继续以王家明及其朋友为主线，一方面向社会扩展，比如涉及橄榄球教练、丢钱包的女孩儿等；另一方面向家庭延伸，为下一单元谈家庭作铺垫。

7 他是谁

一、教学目的

1. 学会询问他人身份及其兴趣爱好；

2. 继续实践汉语拼音的拼法；

3. 学习认、写汉字。

二、教学内容

1. 交际功能：询问他人情况

2. 语言要点：(1) 疑问代词"谁"作宾语

            (2) 副词"也"

            (3) 动词"打"与宾语的搭配

3. 语音教学：(1) 听力练习(录音文本见本课"参考资料")

            (2) 辨音练习(录音文本见本课"参考资料")

            (3) 拼读实践——zh, ch, sh, r, z, c, s 和 a, o 组韵母相拼（参见"发音规则"）

4. 学习课堂及日常用语

5. 汉字教学：学习认字、写字，学习汉字的笔顺规则

三、教学建议

1. 课堂训练策略

这一课是第二单元的开始，有关本单元的主要内容会在"单元导入"中出现，请注意引导学生通过图画说汉语。

从第 7 课开始，根据课文的需要，有些课会增加一项"练习会话"，即给出一段对话的例子，让学生做替换练习，提高学生说的能力。在这种练习中，教师可以根据学生的实际情况增加一些替换练习。

本课活动的关键是一定要提前让学生准备照片。最好提前两周进行准备。

2. 语音训练策略

参看第二课"策略"与本课"参考资料"。

zh、ch、sh 与 z、c、s 较难分辨，注意对照练习。

这一课的"不"读本调，注意与第四课的"不客气"中的"不"区分。

3. 汉字教学建议

(1) 教师可以用已经学过的课文中的字，教学生们反复书写，使他们熟悉汉字书写的规则。

(2) 在课上可以要求学生们模仿所列出的字的笔画顺序，练习汉字的书写。

四、参考资料

1. 课文注释与语法说明

(1) 疑问代词"谁"

疑问代词"谁"通常用来询问人，它可以在句中作主语、宾语和定语。

① 作主语：谁想去看电影? 谁是 Jack?

② 作宾语：你找谁?

③ 作定语：这是谁的书包?

在课文中，"谁"作"是"的宾语。

(2) 副词"也"

"也"是一个副词，常常用在动词和形容词谓语前，在句中作状语，表示两个或两个以上的事物同属一类，或具有相同的性质、状态，或发出相同的动作、有相同的行为等。修饰动词和形容词时，"也"一定要放在它所修饰的成分前边。例如：

① 大卫是我的好朋友，杰克也是我的好朋友。(同属一类)

② 我是中学生，他也是中学生。(同属一类)

③ 大卫打橄榄球，王家明也打橄榄球。(发出相同的动作)

④ 我们学汉语，他们也学汉语。(有相同的行为)

⑤ 今天是王家明的生日，他很高兴，我们也很高兴。(相同的性质状态)

⑥ 天很蓝，海也很蓝。(相同的性质状态)

(3) 他也打橄榄球吗?

在汉语里，动词"打"有很多意思，动宾搭配也不同，这里指进行球类运动。除打"橄榄球"外，可以和"打"搭配使用的还有乒乓球、篮球、排球、网球、羽毛球等等。

2. 语音教学

(1) 关于词语的拼读

"不"在本课中读第四声(详细资料参看本书"拼音方案")。

(2) 关于发音规则

从发音部位看，zh、ch、sh、r是一组卷舌音(舌尖后音)。从发音方法看，zh、ch是塞擦音，发音时让舌尖卷起接触硬腭前部，让气流完全阻塞，然后慢慢打开，留出一个狭小的通路，让气流挤出来。zh不送气，ch送气。z、c和j、q是另外两对塞擦音，也有不送气跟送气的对立，但发音部位跟zh、ch不同。教学时可以分别对比练习。

从发音方法看，sh和r是擦音，发音时让舌尖卷起接触硬腭前部，使气流通路缩小，不完全阻塞，让气流从狭小的通路中出去，发出有摩擦的声音。sh发音时声带不震动，是清擦音；r发音时声带震动，是浊擦音。s、f、x、h是另外几个擦音，但发音部位跟sh、r不同。

z、c、s是一组平舌音(舌尖前音)。从发音方法看，z、c是塞擦音，发音时让舌尖接触上门齿齿背，让气流完全阻塞，然后慢慢打开，留出一个狭小的通路，让气流挤出来。z不送气，c送气。zh、ch和j、q是另外两对塞擦音，也有不送气跟送气的对立，但发音部位跟z、c不同。教学时可以分别对比练习。

从发音方法看，s是擦音，发音时让舌尖接触上门齿齿背，使气流通路缩小，不完全阻塞，让气流从狭小的通路中出去，发出有摩擦的声音。sh、r、f、x、h是另外几个擦音，但发音部位跟s不同。

zh、ch、sh、r和z、c、s这两组声母在发音时比较容易混淆，是汉语语音学习的难点，要加强练习。下面是这几个声母的朗读舌位图：

zi, ci, si, zhi, chi, shi, ri **朗读舌位图**

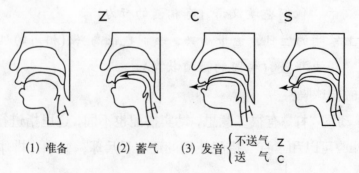

(1) 准备　　(2) 蓄气　　(3) 发音 { 不送气 z
　　　　　　　　　　　　　　　　　送　气 c

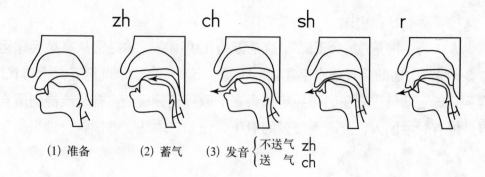

zh　　　　ch　　　　sh　　　　r

(1) 准备　　(2) 蓄气　　(3) 发音 $\left\{ \begin{array}{l} 不送气\ zh \\ 送\ \ 气\ ch \end{array} \right.$

(3) "听力练习" 录音文本

女孩：他是谁？

男孩：他是我的朋友Tom。他也是中学生。

女孩：他也打篮球吗？

男孩：不，他不打篮球，他打橄榄球。

(4) "辨音练习" 录音文本

cā, cā；sǐ, sǐ；shén, shén；chàng, chàng；

rǎo, rǎo；sāi, sāi；zhòu, zhòu；chōng, chōng。

3. 汉字教学

(1) 汉字的笔顺规则

书写汉字时，笔画的先后是有一定顺序的，这就是笔顺。如果笔顺错了，不仅会影响对汉字的整体记忆，而且会影响字形的美观。因此，教授汉字时，必须首先教授汉字的笔顺，并要求学生们反复练习，最终达到让学生们牢牢记住的目的。

汉字笔顺的规则是：先横后竖，先上后下，先左后右，先撇后捺，先中间后两边，先写外后写内，先填中后封口。

这些内容按计划分两课讲完。

(2) 汉字的笔顺

他	ノ	亻	仂	仲	他				
师	ノ	丿	刂	圹	师	师			
再	一	厂	厅	再	再	再			
朋	ノ	刀	月	月	胐	朋	朋		
校	一	十	才	木	朾	朾	栌	栌	校

4. 文化：乒乓球在中国

不少人认为中国是"乒乓王国"，这是因为在中国喜爱并经常从事乒乓球运动的人非常多，同时中国的乒乓球水平在国际上是一流的。自二十世纪五六十年代以来，中国的乒乓球运动员连续在国际乒乓球大赛上取得优异成绩，有时能得到所有奖项的金牌。但有时中国人也会遇到强劲的对手，比如日本队、韩国队、瑞典队等。

8　谁是你的好朋友

一、教学目的

1. 学习询问他人交往情况；

2. 继续实践汉语拼音的拼法；

3. 学习认、写汉字。

二、教学内容

1. 交际功能：询问他人交往情况

2. 语言要点：(1) 表"领有"的"有"字句

 (2) 副词"都"

 (3) 动词"学"与宾语的搭配

3. 语音教学：(1) 听力练习（录音文本见本课"参考资料"）

 (2) 辨音练习（录音文本见本课"参考资料"）

 (3) 拼读实践——zh, ch, sh, r, z, c, s 和 e, u 组韵母相拼（见第七课"关于发音规则"）

4. 学习课堂用语

5. 汉字教学：学习认字、写字，学习汉字的笔顺规则（参看第七课"参考资料"）

三、教学建议

1. 课堂训练策略

本课要制作中国传统的纸花扇。虽然看起来很容易，教师最好自己先制作一遍，预想可能出现的困难。有了成品的纸花扇，学生们制作的愿望会更强烈。

纸花扇很美丽，女孩子一定会喜欢。教师可以鼓励男孩子把制作好的纸花扇送给妈妈或者朋友，以增强他们制作的愿望。

2. 语音训练策略

参看第二课"策略"与第七课"关于发音规则"。

这一课要与第七课结合起来，注意复习zh、ch、sh、r、z、c、s的所有拼读音节。

3.汉字教学建议

继续学习汉字笔顺，注意引导学生按照正确的笔顺规则写字。

四、参考资料

1.课文注释与语法说明

(1) 你有好朋友吗?

"有"是动词，表示领有，在这个句子中相当于英语里的"have"。这种句式的结构是："某人（物）＋有＋某物"。例如：

我有两个姐姐。

他有一个漂亮的书包。

桌子有四条腿。

这种句式的否定形式是在"有"前加"没"。如：

我没有书包。

他没有自行车。

注意："有"字句不能用"不"来否定。

"有"还有表示"存在"的意思，这种用法我们以后再讲。

"好朋友"中"好"是形容词，修饰"朋友"。这种用法还有很多，如"好地方""好学生""好心情"等等。

(2) 有啊。

在这里，"啊"是语气助词，它的基本作用是缓和语气，在这里有强调事实的作用。教师可以不作为语法点向学生讲解。

(3) 他们都学汉语吗?

"都"作为一个副词，常常用来表示范围，总括前边所提到的人或事物。例如：

我们都是学生。

这些都是中文书。

他们都学过法文。

注意"都"表示范围时，一定要放在它所综括的词语后面。"我们都是学生"，不能说"都我们是学生"，这与英语中的"all"是不同的。

在否定句中，"都"有两种不同的否定形式。一种是完全否定，否定词放在"都"的后面。例如：

我们都不是学生。

他们都不是老师。

这里的人都不说英语。

这些书都不便宜。

另一种是部分否定，否定词一般放在"都"的前面。例如：

他们不都喜欢京剧。

我们不都会说汉语。

他们没都来北京。

"学"是动词，可以作它的宾语的词语有很多，例如"学汉语""学英语""学历史""学数学""学计算机""学开车""学游泳""学打篮球""学骑自行车"等等。

2. 语音教学

(1) 关于词语的拼读

"啊"读轻声（详细资料参看本书"拼音方案"）。

(2) 关于发音规则

zh、ch、sh、r和z、c、s这两组声母在发音时比较容易混淆，是语音学习的难点，要加强练习。（朗读舌位图见第七课）

(3) 声母发音部位和发音方法对照表

方法＼部位	双唇音	唇齿音	舌尖音	舌尖前音	舌尖后音	舌面音	舌根音
塞音	b p		d t				g k
擦音		f		s	sh r	x	h
塞擦音				z c	zh ch	j q	
鼻音	m		n				
边音			l				

(4)"听力练习"录音文本

女孩：你有篮球吗？

男孩：有啊。

女孩：你和你的朋友都学汉语吗？

男孩：不，Tom不学汉语，他学法语。

(5)"辨音练习"录音文本

rè, rè；zhēn, zhēn；shuǐ, shuǐ；chuō, chuō；
cū, cū；shuāi, shuāi；zūn, zūn；cuàn, cuàn。

3. 汉字教学：汉字的笔顺

卫	フ	ア	卫					
中	丶	口	口	中				
气	ノ	⺧	⺧	气				
名	ノ	ク	夕	夕	名	名		
是	丶	口	日	日	旦	早	昱	是

4. 文化：网络与朋友

国际互联网在90年代中期以后开始在中国流行起来，电脑也因此成为许多中国人不可缺少的伙伴。人们通过互联网及时获得或传递各种信息，或者给朋友发"伊妹儿"(E-mail)，既快捷又方便。不少人还通过互联网结识了新朋友，也许彼此并没有见过面，但却能够经常交流甚至谈心。网上交友在年轻一代中非常流行。

9 你有几张中文光盘

一、教学目的

1. 学会了解别人持有什么东西，有多少；

2. 总结汉语拼音；

3. 学习认、写汉字。

二、教学内容

1. 交际功能：(1) 询问并说明领有的数量

             (2) 10 以内数字的表达

2. 语言要点：(1) 疑问代词"几"

             (2) 量词"张"

3. 语音教学：(1) 语音总结：zh、ch、sh、r 与 j、q、x 的区分

             (2) 听力练习（录音文本见本课"参考资料"）

             (3) 朗读练习（录音文本见本课"参考资料"）

             (4) "一"的变调

4. 学习课堂用语

5. 汉字教学：学习认字、写字，了解汉字的部件

三、教学建议

1. 课堂训练策略

本课安排了三个游戏，两个在学生用书上，另一个在教师用书里。

(1) "电话本"。让学生仿照学生用书中的插图，自己动手做一个电话本，写上同学或朋友的姓名、电话等。

(2) "飞行棋"。准备好一个色子（dice），学生两个人为一小组掷色子，根据色子的点数决定走几步，最后看谁"有"的东西最多。注意：一定要提醒学生，掷色子完成了一个句子后，就把这个句子写下来，以便最后进行比较。

(3)"比比谁的多"。5～6个人一个小组。先让同学们在卡片上（或小纸片上）写句子：我有几个什么东西。例如："我有3本故事书""我有4个书包"，尽量多写一些句子。然后，把所有的卡片放进一个不透明的袋子里，每个人轮流到袋子里拿出一张卡片，看看自己"有"什么东西。最后比比谁"有"的东西多。

第三个游戏，教师可以根据学生的情况选择使用。

2. 语音训练策略

(1) 引导学生把第二课到第八课的语音表拼起来，和普通话声母韵母拼合总表相对照。注意 zh、ch、sh、r 和 j、q、x 的不同。

(2) 注意"一"的变调练习。

(3) 从这一课起一直到本书结束，每课都设有朗读练习。有的是儿歌，有的是谜语，有的是绕口令，有的是古诗。教师可以根据学生的水平和兴趣，引导他们练习。朗读练习既可以提高学生发音的正确性和口语流利程度，又可以避免单个练音的枯燥乏味。

3. 汉字训练策略

注意引导学生拆分汉字部件，以有助于认字、写字。

四、参考资料

1. 课文注释与语法说明

(1) 你有几张中文光盘？

"几"是一个疑问代词，用来询问10以内的数字所表示的数量。当它与名词连用时，中间一般要加量词（个别名词除外）。例如："你家有几口人？""你买几斤苹果？""桌子有几条腿？""你有几个书包？"其中"口""斤""条""个"都是量词。

"张"是一个量词。在汉语里，数词一般不能直接与名词连用，中间要用量词，例如"一把椅子""一张桌子""一个苹果"等等。汉语的量词数量较多，量词的使用依据后面的名词而定。"张"作为量词，它所限定的名词一般是平面的东西或具有能展开的特点，如"一张纸""一张床""一张画""一张弓"等等。

(2) 杰克，你有几张？

在这个句子里，量词"张"的后面省略了名词"光盘"。

2. 语音教学

(1)"听力练习"录音文本

男孩：林老师，你有几个学生？

女人：我有十个学生。

男孩：你有几张中文光盘？

女人：我有八张中文光盘。你呢？

男孩：我没有中文光盘。

(2)"朗读练习"汉字文本

一只青蛙一张嘴，两只眼睛四条腿；

两只青蛙两张嘴，四只眼睛八条腿。

3. 汉字教学

(1) 汉字的部件

按照汉字的不同结构，汉字可分为独体字和合体字。

独体字是指不能拆开的字，一般指用象形、指事两种造字法所造的字，如"人、田、牛、水、本、末、刃"等。

合体字是指由两个或两个以上的笔画结构构成的字，它们可以拆分。构成合体字的笔画结构叫做部件。

部件又叫字根、字元、字素等，它是由笔画组成的、具有组配汉字功能的构字单位。部件介于笔画和整个汉字之间。

为了方便辨认与记忆，在教授汉字时往往要将整个汉字拆分为部件。传统汉字学是按照汉字的构造拆分其部件的，每一个部件基本上都是一个独体字，因此都具有一定的意义和读音。在组字的过程中，有的部件将意义带进了由它构成的整个汉字，有的是将声音带进了汉字。前者称为意符，后者称为声符。但随着历史的发展，汉字的形体发生了很大的变化，形成了现代汉字系统。构成现代汉字的部件也有了很大的改变。因此，相当数量的现代汉字已经不能完全使用传统汉字学的原则去拆分了。我们的课本兼顾了传统汉字学的原则与现代汉字的特点，主要介绍一些构字能力强并经常使用的汉字部件。在名称上，我们采用了这样的方法：凡是能表意、表声的部件就分别称为意符、声符；凡是不能表意、表声的统称为部件。凡古文字形是独体字，而现代字形可以拆分的，我们一般不再拆分。

(2) 部件介绍

弓——"张"字的意符。"弓"是射出箭或弹丸的器械，凡以"弓"为部件组成的汉字，其意义一般都与这种器械及其相关的动作有关。作为部件，在书写时应该比单独的字瘦窄一些。

氵——"水"字作为部件时的变体，俗称"三点水"，是"没"字的意符。凡以

"氵"为部件组成的汉字，其意义一般都与水有关。

口——"叫"的意符。凡以"口"为部件组成的汉字，其意义一般都与口有关。

皿——"盘"的意符。"皿"在古代是一种器皿，以它作为部件组成的汉字，其意义一般与器皿一类的食具有关。

亻——"人"字作为部件时的变体，俗称"单立人"，是"你""他"等字的意符。凡以"亻"为部件组成的汉字，其意义一般都与人有关。

(3) 关于"六书"

"六书"是指六种造字法则。"六书"是古代学者们在汉字发展到一定阶段的基础上归纳出来的。"六书"的具体名称是"象形""指事""会意""形声""转注""假借"，其中与汉字形体有紧密联系的是前四书，因而有些学者认为，前四书是造字法，后两书是用字法。在《说文解字·叙》（汉代人许慎所著）中比较详细地介绍了"六书"的内容。

"六书"的具体内容包括：

象形："画成其物，随体诘诎。"（画成那个物体的样子，随着它的形体而曲折宛转。）如：日、月、山、川、人、羊、马、牛。

指事："视而可识，察而见意。"（一见就能识别其形体，仔细察看才能理解它的意思。）如：上、下、刃、亦、高。

会意："比类合谊，以见指㧑。"（比并两个事物，会合它们的含意，表示一个新的意思。）如：休、吹、伍、什、泪、思、娶、封。

形声："以事为名，取譬相成。"（根据事物立个属名，再取一个近似的声符配合而成。）如：杨、柳、语、论、轮、转、排、打。形声字形旁具有表意功能，声旁具有表音功能。

转注："建类一首，同意相受。"（建立义类，统一字首，意思相近的字彼此相训。）转注的问题比较复杂，学术界尚有许多争论。

假借："本无其字，依声托事。"（本来没有这个字，借用同音字来表示这个概念。）如：西（方位词）、之（虚词）、亦（虚词）、其（虚词）、而（虚词）。

象形字一般不能再拆分；指事字或不能再拆分，或拆分后有一个部件是指事性符号而不能单独成字。会意字和形声字都可以拆分为两个或两个以上的部件。组成会意字的两个部件在整字中都表示意义；而组成形声字的两个部件在整字中一个表示意义，一个表示该字的读音。

我们利用"六书"知识，可以了解汉字形体的构成以及与它所对应的词义之间的关系，可以通过对字形的分析，进一步了解词义，并准确地说解词义。

(4) 汉字的笔顺

几	丿	几							
文	丶	二	亠	文					
光	丿	丨	亅	业	屮	光			
呢	丶	口	口	叮	叮	叽	叽	呢	
盘	丿	丆	丮	舟	舟	舟	舟	舟	盘

4. 普通话声母韵母拼合总表

参见附录。

10 这是谁的钱包

一、教学目的

1. 学会询问物品的主人；

2. 开始侧重听力和朗读的训练；

3. 学习认、写汉字。

二、教学内容

1. 交际功能：(1) 询问物品的归属

             (2) 100 以内数字的表达

2. 语言要点：(1) 指示代词"这""那"

             (2) 疑问代词"谁"作定语

             (3) 疑问代词"多少"

3. 语音教学：(1) 听力练习（录音文本见本课"参考资料"）

             (2) 辨音练习（录音文本见本课"参考资料"）

             (3) 朗读练习（录音文本见本课"参考资料"）

4. 学习课堂用语

5. 汉字教学：学习认字、写字

三、教学建议

1. 课堂训练策略

本课一共设计了三个活动。前两个是简单有效的数字游戏,配合数字练习进行。

(1)"数字接龙"。先在全班按顺序从 1 数到 100，然后反序由 100 到 1 进行逆数。

(2)"数字找邻居"。老师说一个数字，同学们说出其前后相邻的数字。如老师说"55"，同学们就说"54、56"。同学们集体回答几次后，由老师指定某个同学单独回答。最后，由某一个同学来念数字，并指定同学回答。

第三个活动是"这是谁的……"，教师可以在做完其他练习后进行。

2.语音训练策略

听音辨音有助于正确发音。第十课和第十一课主要是"变调"和"轻声"的听辨练习。这两种语音现象学生从第一课开始就已经有所接触了，这两课再集中让学生感受一下。教师应当引导学生注意听辨。

四、参考资料

1.课文注释与语法说明

(1) 这是谁的钱包？

疑问代词"谁"可以作定语。"谁"作定语时，它与所限定的名词中间要加"的"。如：

谁的书包最新？

这是谁的橄榄球？

(2) 钱包里有多少钱？

① "多少"是一个疑问代词，用来询问数量。与"几"的用法不同的是，"多少"可以问任何数量，而且它与名词中间可以有量词，也可以没有量词。如：

你们班有多少人？

人一天需要多少水？

② "有"在这个句子里表示存在，大致相当于英语里的"there is (are)"，与表示领有义的"有"不同。这个句型我们在以后还会遇到，教师在此可不作详细讲解。

③ "钱包里"的"里"是一个表示方位的名词，常常放在普通名词后面，表示处所。例如"房间里""教室里""书包里""学校里"等等。

(3) 关于指示代词

指示代词的作用主要是指称人和事物，在句中可以代替名词、动词、形容词和表示程度的副词，可以在句子中作主语、定语和状语。汉语中最基本的指示代词是"这"和"那"。"这"表示近指，"那"表示远指。其他指示代词都是由这两个词派生出来的。

指别和称代人、事物	这	那
称代处所	这里、这儿	那里、那儿
称代时间	这会儿	那会儿
指别或称代性质、方式、程度	这么、这样	那么、那样

"这""那"作为指示代词，可以单用，用来称代所要说的人、物；也可以与名词、数词、量词连用，如"这本书""这房间"等。在课文中，"这""那"都单用，作主语。

(4) 10～100的数字的读法

例如：12：十二　36：三十六　98：九十八　100：一百

2.语音教学

(1)关于句调

在汉语里，一般疑问句常用升调，比如"他是你的朋友吗？""他也打橄榄球吗？""你呢？"特殊疑问句用平调，但疑问词要重读。

(2)"听力练习"录音文本

男孩：这是你的钱包吗？

女孩：是，这是我的钱包。钱包里有52块钱，对吗？

男孩：不对，钱包里有51块钱。

(3)"辨音练习"录音文本

①雨衣、旅行、女朋友；

②八百八十一、一杯水、一块糖、看一看；

③不去、不来、不晚、不吃。

(4)"朗读练习"汉字文本

十四是十四，四十是四十。

别说四十是十四，别说十四是四十。

3.汉字教学

(1)部件介绍

钅——"金"字作为部件时的简写体，俗称"金字旁"，是"钱"字的意符。"金"字表示金属，后又与钱财有关，故凡是以"金"为意符的字，大都与金属、金钱有关。

女——"她"字的意符。凡以"女"为意符的字，一般都与女性有关。

子——"好"字的意符。凡以"子"为意符的字，一般都与人或子女有关。

门——"们"字的声符。

(2) 汉字的笔顺

少	丨	小	小	少		
们	丿	亻	亻	们		
那	𠃌	ヨ	ヨ	那	那	
这	丶	亠	文	文	这	这
里	丨	口	日	甲	甲	里

11 祝你生日快乐

一、教学目的

1. 学会询问某人的去向；
2. 学会祝贺生日；
3. 继续进行听力和朗读训练；
4. 学习认、写汉字。

二、教学内容

1. 交际功能：询问某人的去向
2. 语言要点：(1) 连词"和"
   　　　　　(2) 动词"在"
   　　　　　(3) 疑问代词"哪里"
3. 语音教学：(1) 听力练习（录音文本见本课"参考资料"）
   　　　　　(2) 辨音练习（录音文本见本课"参考资料"）
   　　　　　(3) 朗读练习（录音文本见本课"参考资料"）
   　　　　　(4) 生日歌
4. 汉字教学：学习认字、写字

三、教学建议

1. 课堂训练策略

做生日卡的时候，教师鼓励学生用汉字，例如用汉字签名，用汉字表达祝福，写"生日快乐！""祝你生日快乐"等祝福语。

2. 语音训练策略

本课"辨音练习"的训练重点是轻声。教师应引导学生注意听辨，读准字音。

四、参考资料

1. 课文注释与语法说明

(1) 我找大卫和玛丽。

"和"是一个连词，可以用来连接两个名词、代词或名词性短语，也可以连接两个动词或动词性短语。在这里"和"相当于英语里的"and"。又如"书和书包""你和他""问和答""橄榄球和篮球"等等。

注意："和"与英语里的"and"在用法上有一定的差别。"和"一般不用来连接形容词，也不用来连接句子，而"and"没有这个限制。

(2) 他们不在这里。

"在"是动词，后面跟表示处所的名词或代词作宾语，用来表示主语所处的位置。这种结构是："某人（某物）＋在＋表处所的名词（代词）"。例如：

书在桌子上。

钱包在那儿。

小王在房间里。

英语在表达相同的意思时，常用"to be"这一结构。注意学生因此而容易出现的错误。

(3) 他们在哪里？

"哪里"是用来询问处所的疑问代词，可以在句中作主语、宾语、定语。在这个句子里，"哪里"作动词"在"的宾语。这个句型的结构是："某人（某物）＋在＋哪里"。这个句型的功能是询问主语的处所。再看几个句子：

我的书包在哪里？

篮球在哪里？

卫生间在哪里？

教师可以用替换的方式使学生掌握这个句型的结构和功能。

2. 语音教学

(1) 关于词语的拼读

"谁"有两种读音，一读 shuí，一读 shéi，口语中多用后一读音。

(2)"听力练习"录音文本

男孩：他们在哪里？

女孩：你找谁？

男孩：我找王家明和杰克。

女孩：他们不在这里。

(3)"辨音练习"录音文本

A 妈妈、爸爸、哥哥、姐姐、弟弟、妹妹、爷爷、奶奶；

B 我们、你们、他们、同学们；

C 本子、房子、镜子、帽子、影子。

(4)"朗读练习"汉字文本

一望二三里，烟村四五家。

亭台六七座，八九十枝花。

这是一首五言诗，作者的姓名已无从考查。它简洁明快，可以帮助学生练习数字表达。

3. 汉字教学

(1) 部件介绍

禾——"和"字的声符。作为部件，在书写时应该比单独的字瘦窄一些。

心——"您"字的意符。凡以"心"为意符的字，其意义一般都与心理活动有关。"您"作为第二人称的尊称，以"心"为意符，是为了表示尊敬。

忄——"心"字作为部件时的变体，俗称"竖心旁"，是"快"字的意符。凡以"忄"为意符的字，其意义一般也都与心理活动有关。

扌——"手"字作为部件时的变体，俗称"提手旁"，是"找"字的意符。凡以"扌"为意符的字，其意义一般都与"手"的动作有关。

礻——"示"作为部件时的简写体，俗称"示字旁"，是"祝"字的意符。凡以"礻"为意符的字，其意义一般都与祭祀、神灵有关。"祝"的本义表示一种祭祀行为，故以"礻"为意符。

讠——"言"作为部件时的简写体，俗称"言字旁"，是"谁"字的意符。凡以"讠"为意符的字，其意义一般都与说话的动作或话语有关。

(2) 汉字的笔顺

在	一	ナ	ナ	存	在	在			
找	一	扌	扌	扑	找	找			
张	⺀	⺆	弓	弘	弪	张			
和	ノ	二	千	禾	禾	和	和		
您	ノ	イ	亻	你	你	你	您	您	您

4. 文化：生日与属相

西方人喜欢谈生日与星座，而中国人则有属相的风俗。中国人的属相一共有12种，也叫十二生肖，分别以12种动物来命名，它们依次是：鼠、牛、虎、兔、龙、蛇、马、羊、猴、鸡、狗、猪。属相以中国农历年为依据，每年一个生肖。如果一个孩子在猴年出生，那么他就属猴。

12 今天我很高兴

一、教学目的

　　1.学会表达自己的心情；

　　2.学会简单叙述活动经过；

　　3.继续练习成段表达；

　　4.继续进行听力和朗读训练；

　　5.学习认、写汉字。

二、教学内容

　　1.交际功能：(1) 表达心情

　　　　　　　　(2) 叙述活动经过

　　2.语言要点：(1) 介词短语

　　　　　　　　(2) 介词"跟"

　　　　　　　　(3) 人称代词"大家"

　　　　　　　　(4) 副词"很"

　　　　　　　　(5) 形容词谓语句

　　3.语音教学：(1) 听力练习（录音文本见本课"参考资料"）

　　　　　　　　(2) 辨音练习（录音文本见本课"参考资料"）

　　　　　　　　(3) 朗读练习（文本见本课"参考资料"）

　　4.学习课堂用语

　　5.汉字教学：学习认字、写字，总结笔顺规律。

三、教学建议

　　1.课堂训练策略

　　学生学会了本课歌曲后，教师可以根据实际情况，将第三句"在北京，在上海"这句歌词改为自己国家城市的名称，以增加学生的学习兴趣。

2.语音训练策略

本课"辨音练习"安排了一个"综合听辨",作为汉语拼音部分的总结。从第十三课起,语音练习会集中在听力练习和朗读练习上。

3.注意帮助学生总结本单元介绍的汉字笔顺规律。

四、参考资料

1.课文注释与语法说明

(1)课文注释

① 我跟朋友们在一起。

在这个句子里,"跟"是介词,用于引进动作协同的对象。"朋友们"是它的宾语,"跟"与"朋友们"组成介词短语,作谓语动词"在"的状语。这个句型的结构是:"跟+名词或代词+动词"。例如:

  他常常跟小猫说话。

  这件事跟我没关系。

② 大家都很高兴。

"大家"是一个总括众人的人称代词,指一定范围内的所有的人。跟其他人称代词一样,"大家"可以在句子中作主语、宾语、定语等。例如:

  大家都知道这件事。(作主语)

  大家的事大家办。(作定语)

  我想把这件事告诉大家。(作宾语)

注意:"大家"这个代词可以包括说话人,也可以不包括,这要看具体的语言环境。

③ 我也很高兴。

"很"是一个表程度的副词,用在动词或形容词前,表示程度高。例如:

  它很漂亮。

  大家都很高兴。

  钱包里的钱很多。

  我很喜欢看电影。

(2)语法说明

① 关于介词短语

介词是虚词的一种,用于名词、代词或名词性词组前,与后面的名词、代词等构成介词短语。汉语中的介词一般都是由动词演化而来的，因此与动词有相似之处，如可以带宾语。但介词与动词在语法功能上有根本性的区别，即介词不能单独充当句子成分，也不能单独回答问题，它必须与它的宾语，即它后边的名词、代词等构成介词短语，才能充当句子成分。

② 介词短语作状语

状语是用来修饰、说明和限制谓语的。在汉语中，状语的位置一般在主语之后、谓语之前。介词短语的功能之一就是充当句子的状语。本课课文中的"我跟朋友们在一起"一句，"跟朋友们"就是介词短语，在句中作谓语动词"在"的状语。我们将随着更多介词的出现分别加以介绍。

③ 关于形容词谓语句

所谓形容词谓语句，就是指形容词作谓语的句子。在汉语里，形容词可以直接作谓语，前面不需要加"是"这类的动词，这点与英语不同。

形容词作谓语时，如果是陈述句，形容词前一般要加副词。例如：

今天很热。

他的英语非常好。

大街上真热闹。

在表示比较的意思时，形容词前不加副词。我们看几个例子：

我的书新，他的书旧。

昨天热，今天凉快。

在问句中，形容词前可以不加副词。如：

昨天热吗？

北京漂亮吗？

2. 语音教学

(1)"听力练习"录音文本

男孩：今天是谁的生日？

女孩：今天是玛丽的生日。

男孩：今天她高兴吗？

女孩：她很高兴。她和朋友们在一起。他们吃蛋糕，听音乐。

(2)"辨音练习"录音文本

东一片，西一片，中间隔座山。

它们从来不见面，可是互相听得见。

（谜底：耳朵）

(3)"朗读练习"汉字文本

一闪一闪亮晶晶,

满天都是小星星,

挂在天上放光明,

好像许多小眼睛。

3.汉字教学

(1) 部件介绍

走——"起"字的意符。凡以"走"为意符的字,其意义一般都与走的动作有关。作为部件,常变体为"走",在书写时注意最后一笔"捺"要拉长。

米——"糕"字的意符。凡以"米"作意符的字,其意义一般都与粮食有关。作为部件,在书写时应该比单独的字瘦窄一些。

木——"林"字的意符。"林"是会意字,以两个"木"表示树木的众多。凡以"木"作意符的字,其意义一般都与树木有关。作为部件,在书写时应该比单独的字瘦窄一些。

又——"友"字的意符。"又"本来是"手"的意思,所以,凡以"又"作意符的字,其意义一般都与手及手的动作有关。

日——"明"字的意符。凡以"日"为意符的字,其意义一般都与太阳及其照射有关。

(2) 汉字的笔顺

吃	丨	口	口	口'	吖	吃								
听	丨	口	口	听	听	听	听							
很	′	⺄	彳	彳	彳	很	很	很	很					
音	丶	二	亠	立	立	产	咅	音	音					
起	一	十	土	耂	耂	走	起	起	起					
糕	丶	二	二	半	半	米	米	米	粁	粁	糕	糕	糕	糕

第二单元评估与测验

一、学习兴趣与态度的评估

第二单元的内容逐渐由语音转向交际，学生们是否积极参与交际、表达是评估教学效果的重要指标。教师要注意观察学生情绪情感方面的表现，例如：

1. 在学习新课文时，学生的注意力是否集中，有没有表达的欲望。

2. 做练习和课堂活动时学生的情绪是不是很饱满，能不能主动练习，是否积极与同学们配合。

3. 做听力练习时，是否认真；学汉字时，是否有兴趣，是否爱写。

4. 对课文中的歌曲是否有兴趣，是否爱唱。

二、语言技能的评估

1. 听生词，写拼音。

打篮球（7）、学汉语（8）、好朋友（8）、中文光盘（9）、钱包（10）、吃蛋糕（12）、听音乐（12）。

2. 听生词，写汉字。

汉语（8）、中文（9）、没有（9）、多少（10）、这里（11）、哪里（11）、高兴（12）、今天（12）。

3. 给句子注音。

老师在黑板上写出下列中文句子，请同学们给句子注上汉语拼音，然后读一读，翻译句子的意思。

(1) 他是谁？（第7课）

(2) 他也打橄榄球吗？（第7课）

(3) 他们都学汉语吗？（第8课）

(4) 我有3张中文光盘。（第9课）

(5) 钱包里有多少钱？（第10课）

(6) 你找谁？（第11课）

4. 标调号。

教师在黑板上给出下列拼音形式的句子，请同学们标上调号，然后读一读，看看这个句子是什么意思。

(1) ta da lanqiu。（第7课）

(2) wang jiaming you liang ge hao pengyou！（第8、9课）

(3) ni you ji zhang zhongwen guangpan？（第9课）

(4) wo meiyou zhongwen guangpan！（第9课）

(5) zhe shi shui de qianbao？（第10课）

(6) na shi wo de！（第10课）

(7) qianbao li you duoshao qian？（第10课）

(8) wo zhao wang jiaming he dawei。（第11课）

(9) tamen zai nali？（第11课）

(10) tamen bu zai zheli。（第11课）

(11) jintian shi wo de shengri。（第12课）

(12) wo gen pengyoumen zai yiqi。（第12课）

(13) dajia dou hen gaoxing。（第12课）

5. 学生会话能力的考查。

每课后，教师可以根据本课的功能，主动和同学们打招呼，或者随机提问，让同学们回答，考查其掌握情况。例如：

第7课：他是谁？他打什么球？

第8课：你有好朋友吗？

第9课：你有几张中文光盘？

第10课：这是谁的钱包（书包、书、铅笔）？

第11课：（某个学生）在哪里？（某个学生）在这里吗？

第12课：今天是谁的生日？今天你高兴吗？

第三单元　我和我的家

单元介绍

这个单元的话题主要与年龄、家庭、居住等日常生活相关联，提供给学生这方面的词汇以及相应的表达方式。在语言结构上与第一、二单元相比大大丰富了，并大量增加汉语量词的教学。

人物活动继续以王家明及其朋友为主线，通过他们之间的谈话，引入年龄、宠物、邻居、住址、家庭等相关话题。

13　你多大

一、教学目的

1. 学会询问他人年龄；

2. 学会用正反疑问的方式了解他人意图；

3. 继续听力和朗读训练；

4. 学习认、写汉字。

二、教学内容

1. 交际功能：(1) 询问年龄

　　　　　　 (2) 了解他人意图

2. 语言要点：(1) 名词谓语句

　　　　　　 (2) 正反问句

3. 语音教学：(1) 听力练习（录音文本见本课"参考资料"）

　　　　　　 (2) 朗读练习（文本见本课"参考资料"）

4. 汉字教学：学习认字、写字

三、教学建议

1. 从这一课起增加了"每课导入"，与"单元导入"并存。注意引导学生对该单元有一个总体认识后，引入"每课导入"，等学生熟悉主要词汇后再开始进入课文。

2. 课堂训练策略

(1) 本课需要组织学生对全班同学的年龄进行一次调查活动。调查活动中最难的是让学生坚持用汉语提问。教师要不断提醒学生用汉语提问，并且在活动的过程中始终注意这一点。具体做法是：让学生5～6个人为一个小组，用汉语去调查本班同学的年龄。可以用两个句型："你多大？""你是不是……岁？"调查结束后，以小组为单位制作一份调查报告，用图表或者数据的形式在全班汇报调查结果。

(2) 配合会话练习，可以组织学生进行有关"开车"话题的讨论。教师可以给出

"喜欢""不喜欢"等词语，让学生尽量多用汉语，同时也增加学习兴趣。

四、参考资料

1. 课文注释与语法说明

(1) 课文注释

① 你多大?

这个问句的功能是询问年龄，一般用来询问比自己年龄小或年龄相仿的人的年龄。问10岁以下的小孩儿一般说"你几岁"。

② 我15岁。

这是一个名词谓语句。"我"是主语，"15岁"是用来说明主语的，作谓语。

③ 你学不学开车?

这是一个正反问句。在这个句子中，"开车"是"学"的内容，作宾语。

(2) 语法说明

① 名词谓语句

汉语里有些句子，谓语是由名词、名词性短语、代词、数词、数量词短语或"的"字短语来充当的，这样的句子叫名词谓语句。名词谓语句常常用来表示时间、年龄、价格、籍贯等，也可以用来描述人或物的特征。例如：

今天星期三。

现在10点。

我15岁。

这本书10元钱。

老张上海人。

小张高个子，大眼睛。

名词谓语句在口语中最为常见。它的主语和谓语之间一般都可以加"是"，但加"是"之后，往往会失去口语的自然色彩。

名词谓语句的否定形式是在谓语前加"不是"。例如：

我不是十四岁，我十五岁。

老张不是上海人。

② 正反问句

正反问句是由谓语的肯定形式和否定形式并列起来构成的，回答的人选择其中的一种作为答话。一般说来，这种询问形式不带有倾向性。例如：

你累不累?

他今天高兴不高兴?

今天热不热?

当谓语有宾语时,宾语一般放在整个谓语的后面,这是最常见的正反问句形式。例如:

你是不是学生?

你要不要比萨饼?

你认识不认识他?

你有没有狗?

还有一种用"是不是"来提问的正反问句。使用这种正反问句时,问话的人一般对某一情况已经有比较肯定的估计,而需要进一步证实。课文中的句子"你是不是14岁"就属于这一类。又如:"她是不是老师?"

2. 语音教学

(1)"听力练习"录音文本

男孩甲:杰克,你多大?

男孩乙:我14岁。你呢?

男孩甲:我15岁。今天是我的生日。

男孩乙:你学不学开车?

男孩甲:我当然学。你学不学?

男孩乙:我不学。

(2)"朗读练习"汉字文本

两只老虎,两只老虎,跑得快!跑得快!

一只没有耳朵,一只没有尾巴,真奇怪!真奇怪!

3. 汉字教学

(1) 部件介绍

灬——"火"字作为部件时的变体,是"然"字的意符。凡是以"灬"为意符的字,其意义一般都与火或燃烧等意思有关。"然"的本义有燃烧的意思,但"杰"字是简体字,不能按照"六书"的造字理据分析,它以"灬"为部件,与"火"本身的意义并没有关系。

寸——"对"字的部件。作为部件,在书写时应该比单独的字瘦窄一些。

月——"朋"字的部件。"朋"字本来是会意字,但由于字形的演变,现在已经看不出造字之初的理据了。作为部件，在书写时应该比单独的字瘦窄一些。

交——"校"字的声符。作为部件，在书写时应该比单独的字瘦窄一些。

(2) 汉字的笔顺

才	一	十	才								
车	一	𰀁	𰀐	车							
当	丨	丷	丷	当	当	当					
岁	丨	山	山	少	岁	岁					
学	丶	丷	丷	丷	兴	学	学	学			
然	丿	夕	夕	夕	外	㸳	㸳	然	然	然	然

14　这是我的狗

一、教学目的

1. 学会询问 10 岁以下的年龄；

2. 学会谈论宠物；

3. 继续听力和朗读训练；

4. 学习认、写汉字，了解一到十的写法。

二、教学内容

1. 交际功能：(1) 询问年龄

　　　　　　　(2) 谈论宠物

2. 语言要点："两"和"二"的区别

3. 语音教学：(1) 听力练习（录音文本见本课"参考资料"）

　　　　　　　(2) 朗读练习（文本见本课"参考资料"）

4. 汉字教学：学习认字、写字

三、教学建议

本课课堂活动是"宠物调查"。5~6个同学一组，调查同班同学养宠物的情况。可以用汉语问："你有狗吗？""它几岁？""它叫什么名字？""它漂亮不漂亮？"然后写一份调查报告。

四、参考资料

1. 课文注释与语法说明

它两岁。

"两"和"二"表达的意义相同，但用法不同。在量词前，一般用"两"，而不用"二"，如"两个人""两张纸""两只狗"等。

在位数词"百""千""万""亿"前可以用"两"，也可以用"二"。如"二万五千”也可以说“两万五千”。

在位数词“十”前和个位上，只能用“二”，不能用“两”。如：二十一、二十二。

2. 语音教学

(1)“听力练习”录音文本

男孩：这是谁的狗？

女孩：这是我的狗。它漂亮不漂亮？

男孩：它很漂亮！它几岁？

女孩：它三岁。

(2)“朗读练习”汉字文本

宽宽一条河，河上一群鹅，

牧鹅一少年，口中唱山歌。

3. 汉字教学

(1) 部件介绍

犭——“犬”字作为部件时的变体，俗称“反犬旁”，是“狗”字的意符。凡以“犬”为意符的字，其意义一般都与动物有关。

阝——“邑”字作为部件时的变体，俗称“右耳旁”，是“都”字的意符。凡以“阝”为意符的字，其意义一般都与行政都邑有关。

匕——“它”字的部件。按照“它”的本义及其古文字字形分析，“它”是象形独体字，即“蛇”的本字。但按照现代汉字学分析，“它”还可以拆分，“匕”即是其部件。

马——“玛”“吗”等字的声符。作为部件，在书写时应该比单独的字瘦窄一些。

⺮——“竹”字作为部件时的变体，是“篮”字的意符。凡以“⺮”为意符的字，其意义一般都与竹子或竹制品有关。“篮球”运动要将球投入到一个篮筐中，中国古代篮筐是用竹子编成的，故篮球的“篮”以“竹”字为意符。

也——“他”“她”等字的部件。在古代，“他”“她”的读音与“也”相近，是以“也”为声符的。而在现代汉语中，读音发生了很大的变化，所以只能将“也”看作部件了。

(2)汉字的笔顺

它	丶	宀	宀	宁	它							
两	一	厂	厅	丙	丙	两	两					
狗	丿	犭	犭	犭	狗	狗	狗	狗				
亮	丶	亠	六	亢	古	声	亭	亭	亮			
漂	丶	冫	氵	汇	汇	泗	洒	湮	湮	漂	漂	漂	漂

15　你从哪里来

一、教学目的

1. 学会询问别人从什么地方来；

2. 学会初步了解身边其他人的社会背景；

3. 继续进行听力和朗读训练；

4. 学习认、写汉字。

二、教学内容

1. 交际功能：(1) 询问对方从什么地方来

　　　　　　(2) 结识新朋友

2. 语言要点：(1) 由名词或代词加"呢"构成的省略问句

　　　　　　(2) 介词"从"

3. 语音教学：(1) 听力练习（录音文本见本课"参考资料"）

　　　　　　(2) 朗读练习（文本见本课"参考资料"）

4. 汉字教学：学习认字、写字

三、教学建议

　　本课课堂活动分为两个部分。第一部分为调查（或者采访）。五六个学生组成一个小组，互相用汉语问"你从哪里来？""你的爸爸、妈妈从哪里来？"等。然后汇总，在世界地图上用红颜色标出班上同学们的来源地。每个小组制作一份"分布图"。也可以准备一幅大的世界地图，让全班同学集体做一幅"分布图"。第二部分为东西方姓名特点的对比。教师可引导学生发现东方姓在前、名字在后，西方名字在前，姓在后的特点。

四、参考资料

1. 课文注释与语法说明

（1）我叫本田和美，你呢？

这是一个省略问句。这种省略问句一般由代词或名词、名词性短语加"呢"构成，所询问的内容必须是在上文中已经交代过的。一般在说明一种情况之后，又询问另一个人是否有同样的情况时使用。例如：

我学过汉语，你呢？（你学过汉语吗？）

这支笔坏了，那支笔呢？（那支笔坏了吗？）

我家有五口人，你家呢？（你家有几口人？）

我想打篮球，你呢？（你想打篮球吗？）

（2）你从哪里来？

"从"是介词，在上面的例句中，"从"与疑问代词"哪里"构成介词短语作动词"来"的状语。"从＋表处所的名词（代词）＋来"这一结构的功能是说明来源或出发点。如：

我从北京来。

他从上海来。

他们从英国来。

2. 语音教学

（1）"听力练习"录音文本

女孩：他是谁？

男孩：他姓王，叫王家明。

女孩：他从哪里来？

男孩：他从中国来。

女孩：欢迎你们来我家玩儿！

男孩：谢谢！

（2）"朗读练习"汉字文本

床前明月光，疑是地上霜。

举头望明月，低头思故乡。

这是唐朝诗人李白的一首五言诗，题为《静夜思》，描写了诗人在月光下思念家乡的心情。

3. 汉字教学

（1）部件介绍

生——"姓"的意符兼声符。也就是说，在"姓"字中，"生"既表意，又表声。

作为部件，在书写时应该比单独的字瘦窄一些。

人——"从"字的部件。"从"是会意字，用两个人前后相跟的形象表示跟从的意思。作为部件，在书写时应该比单独的字瘦窄一些。

欠——"欢"字的意符。"欠"本是人打哈欠的意思，凡以"欠"为意符的字，其意义一般都与人口的动作有关。"欢"有"欢呼"的意思，故从"欠"。"欢"的繁体字写作"歡"，也是以"欠"为意符。

王——"玉"字作为部件时的变体，俗称"斜玉旁"。凡以"王"为意符的字，其意义一般都与"玉"有关。作为部件，在书写时应该比单独的字瘦窄一些。

丩——"叫"的声符。在现代汉语中，"丩"与"叫"的读音并不相同，但在古汉语中，二者的读音很相近。

ナ——"左"字的古文字形，也表示"手"的意思，是"友""有"等字的意符。凡以"ナ"为意符的字，其意义一般都与手或手的动作有关。

(2) 汉字的笔顺

从	ノ	人	从	从				
欢	フ	又	𡗞	欢	欢			
迎	′	亻	𠃌	印	迎	迎		
来	一	二	三	𢆡	来	来		
姓	く	女	女	女	如	姓	姓	
家	′	宀	宀	宀	宁	家	家	家

16 我住在柏树街

一、教学目的

1. 学会打电话、订餐；

2. 学会询问别人的住址或告知自己的住址；

3. 继续进行听力和朗读训练；

4. 学习认、写汉字。

二、教学内容

1. 交际功能：(1) 打电话订餐

(2) 询问、告知住址

2. 语言要点：(1) 动词"要"

(2)"住在＋表处所的名词"结构

3. 语音教学：(1) 听力练习（录音文本见本课"参考资料"）

(2) 朗读练习（文本见本课"参考资料"）

4. 汉字教学：学习认字、写字

三、教学建议

本课课堂活动是角色游戏"我在比萨饼店打工"。5~6个同学一组，一个人扮演在比萨饼店打工者，另外的人扮演顾客，模仿课文进行对话，其中家庭住址换为真实的地址和号码（街名可以用母语，句型必须用汉语）。打工者记下顾客的家庭住址。小组内轮流当打工者。熟悉并且玩了几次游戏之后，教师可以启发学生把"比萨饼店"换成别的店，如麦当劳（McDonald's）等当地学生比较熟悉的店。

四、参考资料

1. 课文注释与语法说明

(1) 我要一份比萨饼。

在这个句子里，"要"是动词，表示自己需要什么东西，一般在餐馆中点菜或在商店中购物时使用，后面直接跟名词。如：

　　我要一碗面条。

　　我要两包口香糖。

　　我要一张光盘。

　　我要一碗米饭。

(2) 我住在柏树街1154号。

"住在＋表处所的名词"这一结构的功能是说明居住的处所。这个句子里的"在"是介词，作动词"住"的结果补语，它与动词"住"构成"动结结构"，"柏树街"作这个动结结构的宾语。教师不必向学生详细介绍这种语法结构，只要通过扩展，使学生记住这一结构的交际功能即可。

这一结构的否定形式是在"住"前加"不"。例如：

　　你住在柏树街吗？／我不住在柏树街。

2. 语音教学

(1)"听力练习"录音文本

　　男人：你好，比萨饼店。请问，您要什么？

　　女人：我要五份比萨饼。

　　男人：您住在哪里？

　　女人：我住在58街364号。

　　男人：好，马上到。

(2)"朗读练习"汉字文本

　　我是只小小鸟，飞就飞，叫就叫，自在逍遥。

　　我不知有忧愁，我不知有烦恼，只是爱欢笑。

3. 汉字教学

(1) 部件介绍

　　分——"份"字的意符兼声符。在"份"字中，"分"既表意又表声。作为部件，在书写时应该比单独的字瘦窄一些。

　　主——"住"字的声符。作为部件，在书写时应该比单独的字瘦窄一些。

　　丂——按照传统的"六书"分析，"丂"是"号"的意符，其读音也与"号"相近。

　　刂——"刀"字作为部件时的变体，是"到"的声符。

(2) 汉字的笔顺

我	ノ	二	千	手	我	我	我	
住	ノ	亻	亻	个	住	住		
到	一	乙	五	云	至	至	到	到
要	一	亻	一	两	西	西	要	要	要
柏	一	十	才	木	朾	栌	柏	柏	柏
树	一	十	才	木	木	杈	杈	树	树

17 你家有几口人

一、教学目的

1. 学会询问家庭人口；
2. 学会告诉他人自己的家庭人口、成员；
3. 继续进行听力和朗读训练；
4. 学习认、写汉字。

二、教学内容

1. 交际功能：询问并告知家庭人口及成员
2. 语言要点：(1) 量词"口""只"

                  (2) 副词"还"
3. 语音教学：(1) 听力练习（录音文本见本课"参考资料"）

                  (2) 朗读练习（文本见本课"参考资料"）
4. 汉字教学：学习认字、写字

三、教学建议

本课课堂活动是"家庭情况调查Ⅰ"。5～6名同学一组，调查本班同学的家庭情况。先制作好表格，然后逐一进行调查（表格的制作可参考第14课）。询问的问题包括："你家有几口人？""你有没有狗？""你有没有猫？""你住在哪儿？"（制表时预留职业、喜好两栏，待学了第18课以后调查。）调查结束以后，鼓励同学以数据及图表的方式进行总结，每个小组完成一份调查表，在全班报告。

四、参考资料

1. 课文注释与语法说明

(1) 你家有几口人？

在这个句子里，"口"是一个量词，一般用来表示家庭或村庄等的人口。例如：

我家有五口人。

这个村子有一千多口人。

(2) 我有一只大狗，还有一只小猫。

"只"是量词，常用于动物或某些成对东西中的一个。如：

一只鸡，一只兔子，一只老虎；

一只手，两只鞋，一只脚。

"还"是一个副词，用来表示对前面说明的情况的补充。例如：

我要一份比萨饼，还要一杯咖啡。

我喜欢打篮球，还喜欢打橄榄球。

我想吃面条，还想吃饺子。

2. 语音教学

(1)"听力练习"录音文本

女孩：Tom，你有哥哥吗？

男孩：有。我有两个哥哥，还有一个姐姐。你家有几口人？

女孩：我家有三口人。爸爸、妈妈和我。

男孩：你有猫吗？

女孩：有。我有一只大猫，还有一只小狗。

(2)"朗读练习"汉字文本

高山不见土，平地不见田。

四海没有水，世界在眼前。

(谜底：地图)

3. 汉字教学

(1) 部件介绍

父——"爸"字的意符。凡以"父"为意符的字，都与男性长辈的称谓有关。"父"作为部件，一般写在字的上部，字形与单独成字时相比有所变化。

巴——"爸"字的声符。"巴"作为部件，一般写在字的下部，字形与单独成字时相比应有所变化。

可——"哥"字的意符。因为"哥"的本义表示声音，"可"字从"口"，也表示声音，故是"哥"的意符。作为部件，字形与单独成字时相比应有所变化。

苗——"猫"字的声符。从现代汉字学的角度看，"苗"字还可以拆分。

辶——"走"字作为部件时的变体，是"还""近"等字的意符。凡以"辶"为意符的字，其意义一般都与走路有关。

(2) 汉字的笔顺

口	丨	冂	口							
小	亅	小	小							
妈	乚	妁	女	奵	妈	妈				
还	一	丆	不	不	环	还				
爸	丿	八	父	父	爷	爷	爸			
猫	丿	犭	犭	犷	犷	猎	猎	猎	猫	猫

4. 文化：一个家庭一个孩子

自20世纪80年代以来，中国开始实行"计划生育"政策，提倡每个家庭只能有一个孩子（对少数民族和情况特殊的家庭可以变通），提倡优生优育。计划生育政策在控制中国人口数量、提高人口质量方面起了很大的作用。但是，因为家里只有一个孩子，有些独生子女从小就娇生惯养，被大人当成"小皇帝"，也带来了一系列问题。

18 我爸爸是医生

一、教学目的

1. 学会叙述自己的家庭情况；

2. 继续练习成段表达；

3. 继续进行听力和朗读训练；

4. 学习认、写汉字。

二、教学内容

1. 交际功能：叙述家庭情况

2. 语言要点：(1)"……是……"用来说明某人的职业

                  (2) 动词"喜欢"与宾语的搭配

3. 语音教学：(1) 听力练习（录音文本见本课"参考资料"）

                  (2) 朗读练习（文本见本课"参考资料"）

4. 汉字教学：学习认字、写字

三、教学建议

课堂训练策略

1."家庭情况调查 II"。对全班同学家庭成员的职业、喜好进行调查。

2."快乐的家庭"。请同学们事先准备一张自己家庭的"全家福"照片，在小组或者全班介绍自己的家庭。介绍中应像课文一样，包括有几口人、他们的职业、住在哪个城市、家庭有没有养宠物等。同学们还可以就自己关心的问题提问。教师一定要注意让学生提前准备照片。学生们介绍完自己的家庭后，鼓励其他学生就该学生的情况提一些自己感兴趣的问题。

四、参考资料

1. 课文注释与语法说明

(1) 我爸爸是医生。

这是一个"是"字句。"是"字句可以用来说明职业。例如：

> 他是老师。
>
> 我妈妈是工程师。
>
> 他姐姐是记者。

(2) 可是我的邻居不喜欢它。

"可是"是一个表示转折关系的连词，一般用在主语的前边。如：

> 我想去打篮球，可是天气不好。

"可是"在本课中可以不作为重点训练的语言点。

"喜欢"是一个动词，它的宾语可以是名词，也可以是动词短语。如：

> 我喜欢狗，他喜欢猫。
>
> 我喜欢打篮球，他喜欢打橄榄球。

2. 语音教学

(1)"听力练习"录音文本

女人：你好，你叫什么名字？

男孩：我叫林佳。

女人：你多大？

男孩：我12岁。

女人：你家有几口人？

男孩：我家有7口人。

女人：你住在哪里？

男孩：我住在北京。

女人：你有猫吗？

男孩：我没有猫。我有一只狗，它叫大黄。我弟弟很喜欢它，可是我妹妹不喜欢它。

(2)"朗读练习"汉字文本

世上只有妈妈好，

有妈的孩子像个宝，

投进妈妈的怀抱，

幸福有多少！

3.汉字教学

(1) 部件介绍

令——"邻"字的声符。从现代汉字学的角度看，"令"字还可以拆分。

乃——"奶"字的声符。作为部件，在书写时应该比单独的字瘦窄一些。

卩——"爷"字的部件。"爷"是简化字，繁体字写作"爺"，"耶"是声符，简化为"爷"之后，"卩"已经体现不出该字的造字意图了，只是组字部件。

尸——"居"字的意符。"尸"的本义与人的卧息有关，故"居"字以"尸"为意符。凡以"尸"为意符的字，其意义一般都与人的身体或人的行动、居所有关。

勹——"包"字的意符。"包"是会意字，表示母亲怀孕之形。凡以"勹"为意符的字，其意义一般都与包裹之义有关。

(2) 汉字的笔顺

奶	く	女	女	奶	奶					
爷	ノ	ハ	グ	父	爷	爷				
弟	`	` `	丷	兰	兰	弟	弟			
医	一	丆	匚	玉	至	医	医			
妹	く	女	女	妅	妅	妹	妹	妹		
喜	一	十	士	吉	吉	吉	吉	吉	喜	喜	喜

第三单元评估与测验

一、学习兴趣与态度的评估

第三单元基本上进入各方面的交际，文化方面也丰富起来。教师应注意观察学生参与交际的主动性与他们对不同文化的反应。具体要求如下：

1. 在学习新课文时，学生的注意力是否集中，有没有与别人交际的主动性。

2. 做练习和课堂活动时学生的情绪是不是很饱满，能不能主动参与，积极与同学们配合。

3. 做听力练习时是否认真，对朗读材料是否有兴趣。

4. 学汉字时，对汉字结构是否有兴趣，对写字有没有耐性。

5. 在各种调查活动中，学生是否认真实践，能不能自己制作统计图表。

二、语言技能的评估

1. 听生词，写拼音。

开车（13）、什么（14）、名字（14）、柏树街（16）、请问（16）、医生（18）、邻居（18）、喜欢（18）。

2. 听生词，写汉字。

当然（13）、漂亮（14）、欢迎（15）、爸爸（17）、妈妈（17）、哥哥（17）、姐姐（17）、小猫（17）、弟弟（18）、妹妹（18）、爷爷（18）、奶奶（18）。

3. 给句子注音。

老师在黑板上写出下列中文句子，请同学们给句子注上汉语拼音，然后读一读，翻译句子的意思。

(1) 他多大？（第13课）

(2) 你学不学开车？（第13课）

(3) 它很漂亮。（第14课）

(4) 欢迎你来我家玩！（第15课）

(5) 我住在柏树街。（第16课）

(6) 你有没有狗？（第17课）

(7) 他们不住在这里。（第18课）

4. 标调号。

教师在黑板上给出下列拼音形式的句子，请同学们标上调号，然后读一读，看看这个句子是什么意思。

(1) ni shi bu shi shisi sui?（第13课）

(2) ta ji sui?（第14课）

(3) zhe shi ni de gou ma?（第14课）

(4) wo cong riben lai。（第15课）

(5) mashang dao。（第16课）

(6) wo yao yi fen bisabing。（第16课）

(7) wo jia you san kou ren。（第17课）

(8) wo de linju hen xihuan wo de gou。（第18课）

(9) wo baba shi yisheng。（第18课）

5. 学生会话能力的考查。

每课后，教师可以根据本课的功能，主动和同学们打招呼，或者随机提问，让同学们回答，考查其掌握情况。例如：

第13课：你多大？你是不是15岁？你学不学开车？

第14课：这是你的书包（笔、书、文具盒）吗？

第15课：你姓什么？你从哪里来？

第16课：你住在哪里？

第17课：你家里有几口人？你有没有狗？你有没有猫？

第18课：你们家有几口人，住在哪里？你爸爸、妈妈做什么工作（此问可以用英语）？

第四单元　一年四季

单元介绍

　　这个单元的话题主要是时间、日期、季节、气候等和日常生活紧密相关的生活环境和客观世界，目的是提供给学生这方面的词汇以及相应的表达方式。在语言结构上侧重引入一些汉语的特殊结构，比如名词谓语句，这种句式在第三单元已出现，如"我 15 岁"，在这里要加强学习。

　　通过主要人物王家明及其朋友的活动和谈话，引入汉语的时间、日期表达法以及对作息时间的表达等等。

　　鉴于学习的内容逐渐丰富，从本单元起，每一课都设"导入"，以便提高学生的学习兴趣，丰富学生的词汇量。

19 现在几点

一、教学目的

1. 学会询问并表达时间；
2. 继续进行听力和朗读训练；
3. 学习认、写汉字。

二、教学内容

1. 交际功能：询问、表达时间
2. 语言要点：(1) 时间词"今天"

               (2) 语气词"吧"

               (3) 钟点的表达

3. 语音教学：(1) 听力练习（录音文本见本课"参考资料"）

               (2) 朗读练习（文本见本课"参考资料"）

4. 汉字教学：学习认字、写字

三、教学建议

课堂训练策略

1. 在"练一练"中，时钟上的时间为 12 点、5 点 10 分、七点一刻，由于还没有学"上午""下午"这些时间词，可以让学生直接读成"现在 12 点""现在 5 点 10 分""现在七点一刻"。到第 20 课学习了相应的时间词后，可以再练习"现在是下午 3 点"这样的表达方法。

2. 本课的课堂活动是"制作时钟"。制作时，可以两人一组，也可以 4~6 个人一组，参照课本中的示意图进行制作。

四、参考资料

1. 课文注释与语法说明

(1) 课文注释

①现在几点?

"几"不但可以用来询问数目，也可以用来询问钟点。询问钟点时，不需要考虑是否在"十"以内。

②你今天有事吗?

这个句子里的"今天"是时间词，作谓语动词"有"的状语。关于时间词作状语，可参考第二十课的语法说明。

③起床吧。

"吧"是语气词。在这个句子里，"吧"用在祈使句的末尾，起到缓和语气的作用。

(2) 语法说明：钟点的表达

汉语中表示钟点的词有："点（钟）""刻""分"。钟点的读法是：

8:00	八点
8:05	八点（零）五分
8:15	八点十五（分）、八点一刻
8:30	八点半、八点三十（分）
8:45	八点四十五（分）、八点三刻
8:50	八点五十（分）、差十分九点

2. 语音教学

(1) "听力练习"录音文本

　　女孩：妈妈，你今天有事吗?

　　妈妈：有。我去比萨饼店。现在几点?

　　女孩：现在九点。你几点去?

　　妈妈：九点半。你有事吗?

　　女孩：我没有事。

(2) "朗读练习"汉字文本

　　春眠不觉晓，处处闻啼鸟。

　　夜来风雨声，花落知多少。

这是唐朝诗人孟浩然的一首五言诗，题为《春晓》，写的是春天的早晨，诗人醒来发现天已经亮了，听到许多鸟叫的声音，诗人猜想连夜的风雨一定打落了许多花朵。

3. 汉字教学

(1) 部件介绍

广——"床"字的声符。

占——"点"字的声符。"点"是"點"的简体字，字形变了，但声符没变。

豕——"家"字的意符。"豕"就是猪，"宀"表示房子。两个部件均为意符。

(2) 汉字的笔顺

去	一	十	土	去	去			
床	丶	二	广	广	庄	床	床	
吧	丨	口	口	叩	叩	叩	吧	
事	一	一	一	一	写	写	写	事
点	丨	卜	上	占	占	占	占	点	点

20　你每天几点起床

一、教学目的

1. 学习询问和表达作息时间；

2. 继续听力和朗读训练；

3. 学习认、写汉字。

二、教学内容

1. 交际功能：询问并表达作息时间

2. 语言要点：(1) 时间词作状语

　　　　　　(2) 时间的表达

3. 语音教学：(1) 听力练习（录音文本见本课"参考资料"）

　　　　　　(2) 朗读练习（文本见本课"参考资料"）

4. 汉字教学：学习认字、写字

三、教学建议

本课的课堂活动可先让学生采访同学一天的生活情况，再鼓励同学分小组制作连环画，以某个同学一天的生活顺序为线索（或编创有关学校生活、家庭生活的故事）画简图，并且配以适当的汉语标题。

四、参考资料

1. 课文注释与语法说明

(1) 课文注释

①我每天七点一刻起床。

"七点一刻"就是七点十五分，一刻相当于十五分钟。

②晚上你什么时候睡觉？

"什么时候"通常用在谓语前，用来询问动作发生的时间。这种句子的结构是：

"主语 + 什么时候 + 动词"。例如：

　　　　你什么时候去商店？

　　　　他什么时候回来？

　　　　比赛什么时候开始？

　　(2) 语法说明

　　①时间词

　　　　早上：也说"早晨"，一般指从天亮到上午八九点钟的这段时间。

　　　　上午：一般指从早晨到中午十二点之间的这段时间。

　　　　中午：指中午十二点前后的这段时间。

　　　　下午：一般指中午十二点到日落的这段时间。

　　　　晚上：一般指从日落到夜里十二点的这段时间。

　　　　夜里：一般指晚上十二点到第二天天亮前的这段时间。

　　②时间词作状语

　　时间词作状语是时间词最基本的语法功能之一，用来表示动作或状态发生、存在的时间。它的位置可以在主语之后、谓语之前，也可以在主语之前。例如：

　　　　我十点去朋友家。

　　　　他八点起床。

　　　　晚上我不看电视。

　　　　明天我们去商店。

　　当状语有几个时间词时，则单位大的在前，单位小的在后。例如：

　　　　我明天上午十点去学校。

　　　　小张每天早上七点起床。

　　　　我明年七月毕业。

　　需要注意的是，时间词作状语也跟其他状语一样，不能在谓语之后，这是与英语的不同之处。

　　2. 语音教学

　　(1) "听力练习"录音文本

　　　　女孩：大卫，你每天几点打篮球？

　　　　男孩：我每天早上六点一刻打篮球。

　　　　女孩：你每天什么时候学汉语？

　　　　男孩：我每天晚上八点学汉语。

(2) "朗读练习"汉字文本

会走没有腿，会叫没有嘴。

它会告诉我们，什么时候起，什么时候睡。

（谜底：闹钟）

3. 汉字教学

(1) 部件介绍

亥——"刻"字的声符。在现代汉语中，"刻"与"亥"的语音并不相同，但在古汉语中，二者语音相近。作为部件，在书写时应该比单独的字瘦窄一些。

目——"睡"的意符。凡以"目"为意符的字，其意义一般都与眼睛及眼睛的动作有关。作为部件，在书写时应该比单独的字瘦窄一些。

母——"每"字的部件，"每"与"母"古音相近，按照"六书"的理论，"母"是"每"的声符。

𠂉——"每"字的部件。

(2) 汉字的笔顺

时	丨	丨丁	日	日	日一	时	时			
觉	丶	丷	丷	丷	兴	兴	觉	觉	觉		
候	丿	亻	亻	亻	伫	伫	伫	候	候		
晚	丨	丨丁	日	日	日'	日'	日'	昡	睁	晚	
晨	丶	口	曰	日	旦	尸	戸	戸	晨	晨	晨
睡	丨	丨丁	日	目	目	目'	目'	盰	盰	睡	睡	睡

4. 文化：作息时间

在中国的许多城市里，人们都是早上8点上班工作，中午有一两个小时的午休时间。这使许多初到中国工作学习的外国人感到很不适应。这种作息时间与中国人的生活模式有很大关系。长期以来，中国不少人的住房大都在工作单位的大院里或附近，去上班时只需花很短的时间。但是改革开放以来，中国人的生活方式已经发生了巨大的改变，越来越多的中国人开始远离都市中心，住在空气新鲜的市郊，但这样每天早上去上班就比较辛苦，所以一些单位改变了现在的工作时间，像很多国家一样实行早上9点开始工作的制度，缩短或取消午休的时间。也有的地方为了缓解交通拥挤的状况，不同行业错开了上下班的时间。

21　昨天、今天、明天

一、教学目的

1. 学习询问并表达日期；

2. 学会讨论与日期相关的节日；

3. 继续听力和朗读训练；

4. 学习认、写汉字。

二、教学内容

1. 交际功能：(1) 询问并表达日期

　　　　　　 (2) 谈论节日

2. 语言要点：日期的表达

3. 语音教学：(1) 听力练习（录音文本见本课"参考资料"）

　　　　　　 (2) 朗读练习（文本见本课"参考资料"）

4. 汉字教学：学习认字、写字

三、教学建议

1. 本课重点之一是年、月、日的表达。在"Time expressions"练习中要综合地反复练习，如"昨天是 12 月 14 号，今天是……"。每个月有多少天比较难记，用拳头来帮助记忆是简便的方法，还能引起学生的兴趣。

2. 课堂训练策略

(1) "今天几月几号"。让两个学生一组相互询问日期，如"今天是几月几号""昨天是几月几号""明天是几月几号"等。

(2) "日历中的节日"。让全班同学一起回忆自己所居住的城市的常见节日，并且在黑板上写出节日的名称和日期，最后讨论中西方的节日有哪些异同。还可以问一问学生们喜欢什么节日?为什么?以增加学习兴趣。

四、参考资料

1. 课文注释与语法说明

(1) 课文注释

①感恩节是哪一天?

"哪"是一个疑问代词,用在年、月、日、天的前面,可以用来询问日期。例如:

　　哪天放暑假?

　　你的生日是哪一天?

②明年一月十六日是春节。

中国的春节是农历的正月初一。因为农历与公历的日期不一样,所以春节的日期在公历上是不固定的。课文中说"中国的春节是哪一天?明年一月十六日是春节",指的是具体的某一年的春节日期,而不是说每年的春节都是一月十六日。

(2) 日期的表达

汉语中年份的读法一般是直接读出每个数字,再在后面加上"年"。如"2002年"就读作"二零零二年",也可读作"两千零二年"。

汉语中月份的读法是在数字后加"月"。即:一月、二月、三月、四月、五月、六月、七月、八月、九月、十月、十一月、十二月。

日的读法是在数字后加"号"或"日"。"号"常用于口语,"日"常用于书面语。如:一号、二号、十号、十八号、二十五日、三十一日,等等。年、月、日连读时,大单位在前,小单位在后。如"一九九零年五月十号(日)""今年十月一号(日)"。

2. 语音教学

(1) "听力练习"录音文本

　　男孩:爸爸,今天几月几号?

　　男人:十二月二十三号。

　　男孩:您的生日是哪一天?

　　男人:明天。

(2) "朗读练习"汉字文本

　　白日依山尽,黄河入海流。

　　欲穷千里目,更上一层楼。

这是唐朝诗人王之涣的一首五言诗,题为《登鹳雀楼》。前两句写诗人登楼远望所看到的景色,后两句写诗人的感受:如果要看到更远的景色,就要站得更高一些。

3. 汉字教学

(1) 部件介绍

艹——"节"字的部件。"节"本写作"節",简化为"节"之后,"艹"只是它的组字部件。

疋——"是"字的组字部件。

白——"的"字的部件。"的"字本以"日"为意符(按《说文解字》的说解),后改写为"白"。作为部件,在书写时应该比单独的字瘦窄一些。

(2) 汉字的笔顺

节	一	十	艹	艻	节			
国	丨	冂	冂	同	用	囯	国	国
春	一	二	三	声	夫	表	春	春	春
哪	丨	叮	口	叮	叼	叼	叨	哪	哪

4. 文化:春节

春节是中国人一年中最重要的传统节日,时间是农历的正月初一,公历一般在每年的一、二月之间。过春节俗称过年。在甲骨文和金文中,"年"字是庄稼、果实丰收的形象,因此一般认为"过年"原是庆祝丰收、喜迎新春的意思。中国人过年时一般要吃饺子(象征团圆、富足、更新)、吃年糕(年年高)、放爆竹(辞旧迎新),还有舞狮子、耍龙灯等很多传统的庆祝活动,这些活动在农村地区尤为流行。中国人过年时要买一些礼物送给亲朋好友,表示感谢和庆贺。过年时孩子们尤为高兴,因为他们可以从父母、长辈和父母的亲朋好友那里得到不少的"压岁钱"。压岁钱通常用红色的布或纸包着,所以有时也叫"红包"。

注:上面是"禾"字,表示庄稼丰收。
　　下面是"千"字,是"年"字的声符。

22　星期六你干什么

一、教学目的

1. 学习表达"星期";

2. 学会了解别人的活动计划;

3. 继续进行听力和朗读训练;

4. 学习认、写汉字。

二、教学内容

1. 交际功能:(1)"星期"的表达

　　　　　　(2) 询问、说明计划

2. 语言要点:(1)"打算+动词或动词短语"结构

　　　　　　(2)"跟……一起+动词或动词短语"结构

3. 语音教学:(1) 听力练习(录音文本见本课"参考资料")

　　　　　　(2) 朗读练习(文本见本课"参考资料")

4. 汉字教学:学习认字、写字

三、教学建议

　　本课课堂活动是5~6个人一组,制作一张电影海报。要求尽量使用汉语(必要时也可以用母语)。教师可启发同学们根据自己看过的电影或者目前正流行的电影来制作海报。

四、参考资料

　　1. 课文注释与语法说明

　　(1) 星期六你打算干什么?

　　"干什么"是动词短语,作动词"打算"的宾语。

　　"打算+动词短语"是一个固定结构,用来表示主语计划或准备做的事。例如:

我打算买一台电脑。

我打算出去玩儿。

他打算去北京。

他打算学日语。

(2) 我跟你们一起去看电影。

"跟……一起 + 动词（或动词短语）"结构表示一个人或一些人与其他人共同做某件事。例如：

老师跟学生一起去。

我跟 Jack 一起打篮球。

小张跟小李一起吃晚饭。

我打算跟他一起去看电影。

注意与"跟……在一起"这一结构的区别。

2. 语音教学

(1) "听力练习"录音文本

男孩：玛丽，星期天你打算干什么？

女孩：星期天我们打算找林老师。你有什么打算，Tom?

男孩：我打算跟你们一起去。还有谁？

女孩：还有杰克和王家明。

(2) "朗读练习"汉字文本

我是小金鱼，住在池塘里，

游过来，游过去，总是不如意。

努力游，努力游，游过了小河，

一天又一天，来到大海里。

3. 汉字教学

(1) 部件举例

其——"期"字的声符。作为部件，在书写时应该比单独的字瘦窄一些。

⻊——"跟"字的意符。凡以"⻊"为意符的字，其意义一般都与脚及脚的动作有关。作为部件，在书写时字形应有所变化。

景——"影"字的声符。"影"字本写作"景"，表示"影子"的意思，后来用它表示风景的意思，又为本义造了"影"字。

龵——"看"字的意符，是"手"字的改写。"看"的意思就是通过把手放在眼睛上的动作来表示的。

(2) 汉字的笔顺

电	丶	冂	曰	曰	电								
打	一	扌	扌	扌	打								
星	丶	冂	曱	曰	尸	旦	旱	早	星				
期	一	十	艹	甘	甘	其	其	其	期	期	期	期	
算	丿	个	竺	竺	竹	竹	符	符	算	管	筧	算	算
影	丶	冂	曰	曰	旦	旦	吊	呆	景	景	景	影	影

4. 文化：中秋节与月饼

中秋节在中国是一个重要的节日，时间在农历的八月十五。中秋节的时候，天高气爽，晚上的月亮浑圆而明亮。在中国人的传统观念中，"圆"象征着团圆。按传统的习俗，中秋月圆之夜，一家人往往在一起团聚，一边欣赏着圆圆的月亮，一边品尝着月饼，寄托对远方亲人的思念之情。月饼像月亮一样也是圆形的，表示团圆美满的象征意义。因此，人们又把中秋节称为"团圆节"。

23 今天天气怎么样

一、教学目的

1. 学习询问并表述天气情况；

2. 继续进行听力和朗读训练；

3. 学习认、写汉字。

二、教学内容

1. 交际功能：询问并表述天气情况

2. 语言要点：(1) 主谓谓语句

               (2) 疑问代词"怎么样"

3. 语音教学：(1) 听力练习（录音文本见本课"参考资料"）

               (2) 朗读练习（文本见本课"参考资料"）

4. 汉字教学：学习认字、写字

三、教学建议

本课课堂活动是"谈论天气"。可让学生两人一组先制作一份"一周天气预报表"，除了图画外还要鼓励同学们用汉语写好每天的天气情况。然后，一名同学当"天气预报员"，回答同伴的询问。可以问"今天(明天、后天)的天气怎么样？"也可以问"星期六(星期日)天气怎么样？"等。

四、参考资料

1. 课文注释与语法说明

(1) 课文注释

①今天天气怎么样？

"怎么样"是疑问代词，可以用来询问人或事物的性状。例如：

    那位老师怎么样？

这个电影怎么样?

那儿的风景怎么样?

这台电脑怎么样?

②下午可能下雨。

"可能"是助动词,用在谓语前,表示可能发生的情况。如:

明天我可能去看电影。

他可能不来了。

(2) 语法说明:主谓谓语句

主谓谓语句是汉语特有的一种句式。所谓主谓谓语句,是指谓语由主谓短语充当的句子。在这种句式中,主谓短语的主语与整个句子的主语通常存在着意义关系,它可以是全句主语所表示的事物的一部分,也可以是全句主语所表示的事物的某一方面的特性。课文中的句子"今天天气怎么样"就是一个主谓谓语句。又如:

大卫头疼。

在这个句子中,"大卫"是全句的主语,"头疼"是谓语。"头疼"是主谓结构,"头"是大卫身体的一部分。又如:

今天天气不好。

"天气不好"是来说明"今天"的。"天气"是"今天"的一个方面的情况。再看几个句子:

他汉语很好。

那个学校环境不错。

这本书质量很好,可是价格太贵。

2. 语音教学

(1) "听力练习"录音文本

女人:家明,外面下雨吗?

男孩:现在不下雨,下午可能下雨。

女人:我带雨衣还是雨伞?

男孩:外面风很大,您带雨衣吧!

(2) "朗读练习"汉字文本

他喜欢琵琶,我喜欢吉他。

他说琵琶好,我说吉他好。

现在你来听,是琵琶好还是吉他好。

"琵琶"是中国民族乐器中的一种弹拨乐器,形状和西方的吉他(Guitar)类似。教师可以讲解给学生,然后再练习朗读。

3. 汉字教学

(1) 部件介绍

羊——"样"字的声符。作为部件，在书写时应该比单独的字瘦窄一些。

巾——"带"字的意符。凡以"巾"为意符的字，其意义一般都与巾、帛有关。"带"是一个合体象形字。

几——"风"字的部件。"风"是"風"的简体字。按传统的"六书"理论讲解，"風"以"虫"为意符，以"凡"为声符。

(2) 汉字的笔顺

风	丿	几	凡	风			
外	丿	夕	夕	列	外		
伞	丿	人	人	介	仝	伞	
刮	丿	二	千	千	舌	舌	刮	刮
雨	一	一	门	而	雨	雨	雨
带	一	十	卅	卅	卅	带	带	带

4. 文化：赛龙舟

在中国，赛龙舟是一项历史悠久的水上庆祝和竞技活动，主要盛行于南方地区，近年来首都北京也开始了赛龙舟活动。赛龙舟一般在端午节（农历五月初五，公历六月）前后举行。这时候正值春末夏初，天气不冷不热。传说举行龙舟比赛是为了纪念两千多年前中国古代的一位伟大的爱国诗人——屈原，也有人认为赛龙舟是一种祭祀龙的活动。

24　冬天冷，夏天热

一、教学目的

1. 学会谈论天气；

2. 继续练习成段表达；

3. 继续进行听力和朗读训练；

4. 学习认、写汉字。

二、教学内容

1. 交际功能：(1) 综合谈论天气

　　　　　　(2) 写信——一种书面交际形式

2. 语言要点：(1) 短语结构"不冷也不热"

　　　　　　(2) 动词"觉得"

3. 语音教学：(1) 听力练习(录音文本见本课"参考资料")

　　　　　　(2) 朗读练习(文本见本课"参考资料")

4. 汉字教学：学习认字、写字

三、教学建议

课堂训练策略

1. "谈论天气"。5~6人为一个小组，讨论本地天气和其他地方（如北京）天气的异同。讨论前可以让学生们适当地准备一下，例如看看最近几天的天气预报等等。

2. "给朋友的信"。每个同学用汉语给自己的好朋友写一封信，信中要谈到自己所住城市的天气，还要询问对方城市的天气，询问对方打算什么时候到自己这里来等等。用汉语给朋友写信时，教师要给学生适当的帮助，并且鼓励学生查字典，查自己不会写的字，以便更好地表达自己的思想。

四、参考资料

1. 课文注释与语法说明

(1) 不冷也不热。

这个"也"与第七课出现的"也"不同，这里的"也"起连接作用。"不冷也不热"表示正好合适，同样的结构还有"不大也不小""不多也不少"等等。

(2) 我觉得秋天最好。

在这个句子中，"秋天最好"作谓语动词"觉得"的宾语。"觉得"这个词表示人的主观感受，它的宾语常常由一个句子来充当。例如：

> 我觉得中国菜很好吃。
>
> 我觉得汉字不容易写。
>
> 他觉得这里的环境很好。

课文句子里的"最"是副词，一般用来表示比较。"秋天最好"是说在春、夏、秋、冬四季之中，北京的秋天是最好的。

2. 语音教学

(1) "听力练习"录音文本

> 男孩：喂，我找王老师！
>
> 女人：我是王老师。你是谁？
>
> 男孩：我是大卫。
>
> 女人：你好，大卫。有什么事吗？
>
> 男孩：我打算去北京。王老师，夏天北京的天气热不热？
>
> 女人：很热。现在是七月，非常热。
>
> 男孩：您最近忙不忙？
>
> 女人：忙，可是我欢迎你来玩。

(2) "朗读练习"汉字文本

> 春天在哪里呀，春天在哪里？
>
> 春天在那青翠的山林里，
>
> 这里有红花呀，这里有绿草，
>
> 还有那会唱歌的小黄鹂！

3. 汉字教学

(1) 部件介绍

斤——"新"字的意符、"近"字的声符。"斤"本是象形字，表示的是大斧子的形象。凡以"斤"为意符的字，其意义一般都与砍伐有关。"新"的本义是砍伐木材的意思。作为部件，在书写时应该比单独的字瘦窄一些。

亡——"忙"字的声符。作为部件，在书写时应该比单独的字瘦窄一些。

夊——"冬""夏"两字的部件。

冫——"冬"字的意符，像水凝固的形状。凡以"冫"以意符的字，都与寒冷义有关。

(2) 汉字的笔顺

冬	冫	夕	夂	冬	冬				
冷	丶	冫	冫	込	冰	冷	冷		
秋	丿	二	千	禾	禾	禾	秋	秋	
夏	一	一	厂	百	百	百	厚	夏	夏
热	一	十	扌	执	执	执	热	热	热
常	丶	业	严	严	常	常	常	常	常

4. 文化：饺子

饺子是中国人、尤其是北方人普遍喜欢吃的一种食品。过年时更是少不了吃饺子。按北方地区的风俗习惯，饺子的做法是用面做成圆的面皮，然后包上馅，把边捏紧，最后煮熟或蒸熟。饺子的形状像中国古代的钱，所以有人推测人们最初吃饺子，寄寓着希望生活富有、幸福的情怀。旧时过年吃饺子一般在子时(子夜十二点)，这时正是新年与旧年交替之时，所以吃饺子又有"更岁交子"的意思。旧时过年包饺子，为了讨吉利，人们常把硬币、糖块等包进饺子里。如果有人吃到了硬币，则预示着他在新的一年里会发财交好运；如果吃到糖块，则意味着生活甜蜜。

第四单元评估与测验

一、学习兴趣与态度的评估

第四单元进入《跟我学汉语》第一册的第二个阶段，学生在课堂上的表现应该主要从参与交际的主动性和对不同文化的兴趣来考查。具体如下：

1. 在学习新课文时，学生的注意力是否集中，有没有交际的欲望。

2. 在制作时钟、画连环画、制作电影海报等活动中，学生是否有兴趣。

3. 做听力练习时，是否认真。对古诗、儿歌是否有兴趣。

4. 学汉字时，是否有兴趣，是否关心自己写的字好坏与否。

5. 是否表现出用汉语写作的兴趣。

二、语言技能的评估

1. 听生词，写拼音。

起床（19）、晚上（20）、时候（20）、明年（21）、春节（21）、星期六（22）、打算（22）、刮风（23）、夏天（24）、春天（24）、秋天（24）、冬天（24）。

2. 听生词，写汉字。

现在（19）、每天（20）、早上（20）、今天（21）、中国（21）、可以（22）、电影（22）、雨伞（23）、最近（24）、常常（24）。

3. 给句子注音。

老师在黑板上写出下列中文句子，请同学们给句子注上汉语拼音，然后读一读，翻译句子的意思。

(1) 现在九点半。(第 19 课)

(2) 你今天有事吗?(第 19 课)

(3) 我每天七点一刻起床。(第 20 课)

(4) 中国的春节是哪一天?(第 21 课)

(5) 我跟他们一起去看电影。(第 22 课)

(6) 外面风很大。(第 23 课)

(7) 我的雨伞在哪儿?(第23课)

(8) 北京的春天常常刮风。(第24课)

(9) 北京的秋天不冷也不热。(第24课)

4. 标调号。

教师在黑板上给出下列拼音形式的句子,请同学们标上调号,然后读一读,看看这个句子是什么意思。

(1) wo 10 dian qu dawei jia。 （第19课）

(2) wo meitian wanshang 11 dian shuijiao。 （第20课）

(3) mingtian shi gan'enjie。 （第21课）

(4) xingqi liu ni dasuan gan shenme? （第22课）

(5) jintian xiawu keneng xiayu。 （第23课）

(6) jintian xiawu feng hen da, ni dai yuyi ba。 （第23课）

(7) ni dasuan shenme shihou lai beijing? （第24课）

(8) wo juede beijing de qiutian zui hao。 （第24课）

5. 学生会话能力的考查。

每课后,教师可以根据本课的功能,主动和同学们打招呼,或者随机提问,让同学们回答,考查其掌握情况。例如:

第19课:现在几点?你今天下午有事吗?你明天有事吗?

第20课:你每天几点起床?你每天几点睡觉?

第21课:圣诞节是哪一天?感恩节是哪一天?

第22课:星期六你打算干什么?

第23课:今天天气怎么样?明天天气怎么样?

第24课:最近忙不忙?你觉得北京的哪个季节最好?(此问题可以用英语问。)

第五单元　衣食住行

单元介绍

　　这个单元要讨论吃饭穿衣等和日常生活紧密相关的生活事项，目的是提供给学生这方面的词汇以及相应的表达方式。为了便于学生练习，我们把颜色词安排在这一单元中，这样学生就可以把衣服的搭配和颜色联系起来，起到事半功倍的效果。

　　通过杰克、玛丽和王家明他们的活动和谈话，引入汉语中有关在饭馆吃饭、去商店购物、选择服装、讨论颜色，以及述说年节风俗、描述人物的衣着等表达方式。

　　本单元每一课都设有"导入"，请注意引导学生进行课前"预热"。

25　我要二十个饺子

一、教学目的

1. 学习在饭馆点菜；

2. 继续进行听力和朗读训练；

3. 学习认、写汉字。

二、教学内容

1. 交际功能：在饭馆点菜

2. 语言要点：(1) 不定量词"点儿"

　　　　　　(2) 疑问代词"什么"作宾语

3. 语音教学：(1) 听力练习（录音文本见本课"参考资料"）

　　　　　　(2) 朗读练习（文本见本课"参考资料"）

4. 汉字教学：学习认字、写字

三、教学建议

课堂训练策略

1. 角色游戏"您吃点儿什么"。全班回忆当地中餐馆常见的中餐的名字，并且把10～15个常见的中餐名字用拼音写在黑板上。四个人组成一个小组，写下本小组同学喜欢吃的中餐的名字(用拼音)。然后四个人扮演在中餐馆吃饭，一名同学当服务员，其余的同学当顾客。四个人轮流当服务员。

2. "我的菜单"。回忆常见的中餐菜名及其价格，如果记不起来了，可以周末到中餐馆调查一下。然后四人一组，制作一份菜单。鼓励同学们用最少的钱吃饱，最后在全班比较哪个小组"吃"得最好，花钱最少。

教师也可以提前准备一份当地中餐馆的菜单，配好拼音，复印以后发给每个同学。有了真实的菜单，游戏的时候更加真实，以增加学生的学习兴趣。

四、参考资料

1. 课文注释与语法说明

(1) 不定量词"点儿"

"点儿"是一个不定量词，前边可以加数词"一"，用在名词前，表示数量少。例如：

杯子里还有（一）点儿水，你喝吗?（水不多）

"（一）点儿"用在祈使句或有"想""要"等助动词的句子中，有缓和语气的作用，使说话更客气。如：

你喝点儿水吧。

您想吃点儿什么?

我想去商店买点儿水果。

本课课文中的句子就属于这一种。

(2) 疑问代词"什么"

疑问代词"什么"可以在句子中作宾语。例如：

他要买什么?

老师说什么?

你在干什么?

课文中的句子"您吃点儿什么"，其中的"什么"就是作宾语。

"什么"也可以在句子中作定语。例如：

你要买什么书?

你选什么课?

你去什么地方?

课文中的句子"您喝什么饮料"，其中的"什么"就是作定语。

2. 语音教学

(1) "听力练习"录音文本

女人：先生，您吃点儿什么?

男人：有比萨饼吗?

女人：有，要多少?

男人：要一块比萨饼。

女人：好，您喝什么饮料?

男人：不要饮料。

(2)"朗读练习"汉字文本

　　锄禾日当午，汗滴禾下土。

　　谁知盘中餐，粒粒皆辛苦。

这是唐朝诗人李绅的一首五言诗，题为《悯农》，写农民耕种的辛苦。我们一日三餐来得不易，应该学会珍惜。

3.汉字教学

(1)部件介绍

饣——"饺"字的意符。"饺"是形声字，"饣"是它的意符。"饣"在繁体字中写作"食"。以"饣"为意符的字，其意义大多与饮食有关。

石——"碗"字的意符。以"石"为意符的字，其意义多与矿石以及以石为原料的物品有关。在书写时，应该比单独的字瘦窄一些。

鸟——"鸡"字的意符。以"鸟"为意符的字，其意义一般与飞禽有关。作为部件，在书写时应该比单独的字瘦窄一些。

昜——"汤"字的组字部件。"汤"的繁体字写作"湯"，"昜"是该字的声符，简化为"汤"后，"昜"不能独立成字，只能是组字部件了。

(2)汉字的笔顺

汤	丶	冫	氵	汃	汤	汤						
饮	ノ	𠂉	饣	饣	饮	饮	饮					
鸡	ㄱ	又	又	鸡	鸡	鸡	鸡					
料	丶	ソ	亠	半	米	米	米	料	料			
喝	丨	口	口	吗	吗	吗	吗	喝	喝	喝	喝	
碗	一	厂	石	石	石	石	矿	矿	碗	碗	碗	碗

26 你们家买不买年货

一、教学目的

1. 学习讨论节日习俗；

2. 了解不同国家的年节风俗；

3. 继续进行听力和朗读训练；

4. 学习认、写汉字。

二、教学内容

1. 交际功能：(1) 讨论节日习俗

                (2) 询问原因并解释

2. 语言要点：连词"因为"

3. 语音教学：(1) 听力练习（录音文本见本课"参考资料"）

                (2) 朗读练习（文本见本课"参考资料"）

4. 汉字教学：学习认字、写字

三、教学建议

课堂训练策略

1. "春节的风俗"。让同学们提前一个星期收集有关春节的资料，例如节日活动的图片、照片、有关节日的来源等等。同学们一起分享收集到的资料，谈一谈自己知道哪些春节的风俗。最后在黑板上列表将中国的春节习俗和圣诞节的习俗进行比较，看看有哪些异同。如有可能，还可以组织采访一些知道中国风俗习惯的人，例如回家问一问自己的父母或者请一位中国城里的人来座谈等。

2. 手工制作"窗花"。本课的"参考资料"中附有中国传统的窗花的图案，学生可模仿制作。

四、参考资料

1. 课文注释与语法说明

(1) 压岁钱

春节的时候，父母或亲戚给孩子的钱，叫压岁钱。

(2) 因为后天是春节，大家都买年货。

连词"因为"的功能是说明原因。例如：

> 你昨天为什么没来上课？／因为我生病了。

在表示因果关系的复句中，"因为"说明原因，后一个分句表示结果，常常用"所以"连接。例如：

> 因为我昨天生病了，所以没去上课。

> 因为我最近很忙，所以没有时间来看你。

> 因为天气不好，所以他们没去打球。

2. 语音教学

(1) "听力练习"录音文本

> 女孩：你为什么买蛋糕？

> 男孩：因为今天是我妈妈的生日。

> 女孩：你买不买礼物？

> 男孩：买啊！我买两张中文的电影光盘。

(2) "朗读练习"汉字文本

> 新年到，新年到，

> 穿新衣，戴新帽，

> 吃饺子，放花炮，

> 新年、新年真热闹！

3. 汉字教学

(1)部件介绍

牜——"物"字的意符。凡以"牜"为意符的字，其意义多与牛有关。

囗——读 wéi，"因"字的部件。"因"字本是独体象形字，楷书化之后，从字形上已经很难看出最初的造字意图了。

攵——"收"字的意符。"攵"（攴）是用手打击的意思，凡以"攵"为意符的字，其意义多与手的动作有关。

(2) 汉字的笔顺

为	、	㇉	为	为			
礼	、	㇇	礻	礻	礼		
因	丨	冂	厇	因	因	因	
买	㇇	乛	乛	买	买		
闹	、	丨	门	门	闹	闹	闹

4. 窗花图案及剪法

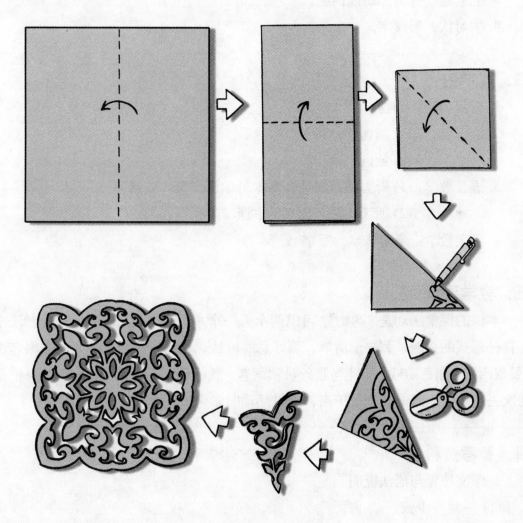

27　一共多少钱

一、教学目的

1. 学习购物；

2. 了解汉语量词的特点；

3. 继续进行听力和朗读训练；

4. 学习认、写汉字。

二、教学内容

1. 交际功能：购物

2. 语言要点：(1) 副词"一共"

(2) 量词

3. 语音教学：(1) 听力练习（录音文本见本课"参考资料"）

(2) 朗读练习（文本见本课"参考资料"）

4. 汉字教学：学习认字、写字

三、教学建议

本课的课堂活动是"购物"。可以两个人一个小组，每个人先用拼音或者汉字写好自己想买的东西，列一个清单，算好总的价钱。然后，两个人按照课文内容进行"买东西"的角色游戏，轮流当服务员和顾客。教师可以提前几周提醒学生，把最近几次去超市买东西的收据留下来，以供活动时参考。

四、参考资料

1. 课文注释与语法说明

(1) 一共多少钱？

"一共"是一个副词，用在动词前面，指合在一起的数量。如：

　　　你们学校一共有多少人？

这个学期你一共学了多少生词？

这些东西一共三十元。

(2) 找您八十八元。

这是一个双宾语动词谓语句。动词"找"有两个宾语，一个是"您"，一个是"八十八元"。教师在此可不作语法讲解。

(3) 关于量词

量词是表示事物或动作单位的词。量词分为两种，表示事物数量单位的叫名量词（或物量词），表示动作数量单位的叫动量词。一般我们说量词，经常指名量词。

在汉语中，当要表达事物的数量时，不但要使用数词，还要使用量词，这是与英语的重要区别。汉语里的名词一般都有特定的量词。我们已经学过的量词有"张、个、份、口、只"等。

汉语中有些量词是由名词临时充当的，这样的量词叫借用量词。例如，"碗"是名词，"一碗汤"中"碗"就是量词。这样的量词还有很多，如"一杯水""一瓶水"，"杯""瓶"都是借用量词。课文里出现的量词"盒""瓶"都是借用量词。

2. 语音教学

(1) "听力练习"录音文本

    女人：您好，您买什么？

    男孩：我要一盘饺子和一瓶果酱。

    女人：还要别的东西吗？

    男孩：还要一个面包。一共多少钱？

    女人：一共十五块钱。

(2) "朗读练习"汉字文本

    双手抓不起，大刀劈不开。

    做饭和洗衣，都要请它来。

（谜底：水）

3. 汉字教学

(1) 部件介绍

土——"块"字的意符。凡以"土"为意符的字，大都与"土地"有关。

由——"油"字的声符。作为部件，在书写时应该比单独的字瘦窄一些。

另——"别"字的部件。

唐——"糖"字的声符。

酉——"酱"字的意符。"酉"本是酒坛的形象。凡以"酉"字为意符的字，其意义多与酒及与酒相关的食品有关。

瓦——"瓶"字的意符。"瓦"是独体象形字，表示一切用土烧制的成品。凡以"瓦"字为意符的字，其意义多与陶土器皿有关。作为部件，在书写时应该比单独的字瘦窄一些。

(2) 汉字的笔顺

块	一	十	土	圫	圿	坍	块		
油	丶	氵	氵	汋	汩	油	油		
面	一	丆	厂	丏	而	而	面	面	
香	丿	二	千	禾	禾	乔	香	香	
瓶	丶	丷	兰	兰	羊	并	荓	瓶	瓶
盒	丿	八	人	仒	合	合	含	盒	盒
黄	一	十	卄	共	芇	苦	昔	黄	黄

4. 文化：中国的货币

中国现在流通的货币的正式名称是"人民币"，分纸币与硬币两种。纸币的最大面额是100元，以下依次是50元、20元、10元、5元、2元、1元，5角、2角、1角，5分、2分、1分等。硬币的面额是1元、5角、1角、5分、2分、1分等。同一种面额的货币，无论是纸币还是硬币，往往有不同的版本。

28 你喜欢什么颜色

一、教学目的

1. 学习述说自己对颜色的喜好；

2. 学习描述颜色；

3. 继续进行听力和朗读训练；

4. 学习认、写汉字。

二、教学内容

1. 交际功能：(1) 谈论对颜色的喜好

(2) 描述颜色

2. 语言要点：颜色词

3. 语音教学：(1) 听力练习（录音文本见本课"参考资料"）

(2) 朗读练习（文本见本课"参考资料"）

4. 汉字教学：学习认字、写字

三、教学建议

课堂训练策略

1. 配合"Inteview your friends"，组织学生5～6个人一组，先用"你喜欢什么颜色"等句式调查同伴对颜色的喜好，最后总结一下全班有多少人喜欢红色、多少人喜欢蓝色等等。如果能用图表来表示就更好了。

2. 本课的课堂活动是"颜色迷宫"。这个活动见学生用书后附录。教师应指导学生正确完成。

四、参考资料

1. 课文注释与语法说明

本课出现了几个颜色词。汉语中表示颜色的词有很多，除了课文中出现的以外，常见的还有"白色""黄色""青色""紫色""黑色"等等。

2. 语音教学

(1) "听力练习"录音文本

男孩：你喜欢蓝色吗？

女孩：喜欢。因为蓝色是大海的颜色。我还喜欢绿色，它是草地的颜色。

男孩：我喜欢橙色，因为它很明亮。

(2) "朗读练习"汉字文本

鹅，鹅，鹅，曲项向天歌。

白毛浮绿水，红掌拨清波。

这是唐朝诗人骆宾王的一首五言诗，名为《咏鹅》，描写在水中嬉戏的鹅。

3. 汉字教学

(1) 部件介绍

页——"颜"字的意符。"页"本指人的头，"颜"的本义是指人脸的一部分，所以以"页"为意符。凡以"页"为意符的字，其意义多与人的头部有关。作为部件，在书写时应该比单独的字瘦窄一些。

录——"绿"字的声符。"绿"与"录"两字的现代汉语读音有些差异，但它们的古音很相近。作为部件，在书写时应该比单独的字瘦窄一些。

工——"红"字的声符。"工""红"两字的现代汉语读音有些差异，但它们在古代的读音很相近。作为部件，在书写时应该比单独的字瘦窄一些。

纟——"糸"字作为部件时的简写体，俗称"绞丝旁"，是"绿"字的意符。"糸"表示丝线的意思，所以凡是以"糸"为意符的字，大都与丝线、丝织品有关。

(2) 汉字的笔顺

色	ノ	⺈	𠂊	名	多	色								
红	乙	纟	纟	纟	红	红								
绿	乙	纟	纟	纱	纤	纤	纤	纾	绿	绿				
蓝	一	十	艹	艹	艹	蓝	萨	萨	萨	蓝	蓝			
颜	丶	二	六	立	产	产	彦	彦	彦	颜	颜	颜		
橙	一	十	才	木	杉	杉	杉	杉	栌	栌	栌	橙	橙	橙	橙

4. 文化：颜色

在中国，许多颜色都有特殊的象征意义。比如，黄色代表着尊贵，红色象征着喜庆、吉祥。所以，中国古代的皇帝一般都穿黄色的衣服，上面绣着龙。中国人在举行传统的婚礼时，新娘要穿红色的衣服，表明婚礼日是她一生中最重要、最幸福的日子。而白色在中国传统的观念中往往代表着恐怖、哀悼，因而在举行葬礼时人们穿白色服饰。不过，现代中国人也逐步接受了西方社会的一些风俗习惯，越来越多的年轻姑娘新婚时穿白色的婚纱，象征纯洁。

29 穿这件还是穿那件

一、教学目的

1. 学习简单表述对事物的看法；

2. 讨论不同颜色的配合；

3. 继续进行听力和朗读训练；

4. 学习认、写汉字。

二、教学内容

1. 交际功能：询问并表达看法

2. 语言要点：(1) 连词"还是"

              (2) 选择问句

              (3) 动词"配"

3. 语音教学：(1) 听力练习（录音文本见本课"参考资料"）

              (2) 朗读练习（文本见本课"参考资料"）

4. 汉字教学：学习认字、写字

三、教学建议

课堂训练策略

1. "时装设计师"。教师可以让学生收集一些有关时装的杂志，为课堂活动提供资料。同时，教师和部分同学可提前设计一些图案，示范介绍设计图，激发同学们的设计和介绍欲望。

2. "颜色的偏爱"。让学生统计自己衣橱中衣物的颜色，并和其他同学交流。

四、参考资料

1. 课文注释与语法说明

(1) 穿这件还是穿那件?

"还是"是一个表示选择关系的连词,常常用在疑问句中。它可以连接词、短语或分句,回答的人选择其中之一作为答案。如:

你吃米饭还是吃面条?

你去哪儿度暑假,山区还是海边?

你选什么课?汉语还是法语?

(2) 如果配黑色的裙子,这件不好,那件好。

"如果"是一个表示假设关系的连词,常常用于复句的前一个分句,后一个分句做出结论。课文中的句子"配黑色的裙子"是假设,"这件好,那件不好"是就此做出的结论。

动词"配"的意思是"搭配",可以用在服饰的搭配上。如"蓝色的西服配黑色的皮鞋""这条裙子应该配白色的上衣"等等。

(3) 关于选择问句

选择问句是把要选择的两种或几种情况用"是……还是……"或"是……还是……还是……"连接起来,要求答话人选择其中之一作为答案的一种问句。前边的"是"一般可以省略。例如:

你(是)喝咖啡,还是喝橙汁?

今天我应该穿这件还是穿那件?

2. 语音教学

(1) "听力练习"录音文本

女孩:蓝色衣服漂亮还是绿色衣服漂亮?

男孩:都很漂亮,也很明亮。

女孩:要是配红色的裙子呢?

男孩:要是配红色的裙子,蓝色的不好,绿色的好。

(2) "朗读练习"汉字文本

小方和小黄,一起画凤凰。

小方画黄凤凰,小黄画红凤凰。

红凤凰和黄凤凰,样子都像活凤凰。

3. 汉字教学

(1) 部件介绍

衤——"裙"字的意符,是"衣"的变体。凡以"衤"为意符的字,其意义大多与衣服有关。

穴——"穿"字的意符。"穴"的本义是指土室。凡以"穴"为意符的字，其意义大多与房屋及房屋的形状、特点有关。

己——"配"字的声符。在现代汉语中，"配"与"己"的读音相差很大，但在古汉语中，它们的读音相近。作为部件，在书写时应该比单独的字瘦窄一些。

昔——"错"字的声符。"昔""错"两字的现代汉语读音差异很大，但它们在古代的读音很接近。作为部件，在书写时应该比单独的字瘦窄一些。

(2) 汉字的笔顺

穿	丶	八	宀	宀	宍	空	空	宑	穿			
配	一	厂	厉	厉	酉	酉	酉	酉	酉	配		
黑	丶	口	曰	曱	曰	甲	里	里	黑	黑	黑	
裙	丶	礻	礻	礻	礻	礻	礻	裠	裙	裙		
错	丿	乍	乍	乍	钅	钅	钅	错	错	错	错	错

30 他什么样子

一、教学目的

1. 学习结合颜色词简单描述人物衣物特征；

2. 学习成段的综合描述并说明；

3. 继续进行听力和朗读训练；

4. 学习认、写汉字。

二、教学内容

1. 交际功能：简单描述人物外貌特征

2. 语言要点：(1) "的"字短语

     (2) 动词短语作定语

3. 语音教学：(1) 听力练习（录音文本见本课"参考资料"）

     (2) 朗读练习（文本见本课"参考资料"）

4. 汉字教学：学习认字、写字

三、教学建议

本课可组织这样一个课堂活动：请6名学生站在讲台旁，闭上眼睛当警察。教师让班上另外一名同学当"失踪者"，走出教室。然后"警察们"睁开眼睛，这时一名同学来"报案"，描述"失踪"同学的详细情况：性别、衣服颜色、裤子颜色、头发的长短等等，让"警察"猜出"失踪者"是谁。

四、参考资料

1. 课文注释与语法说明

(1) 课文注释

①那辆车是白色的。

这是一个"是"字句，宾语由"的"字短语"白色的"充当。这类句子多表示归类，常常用来描述事物的特征。我们再看几个句子：

他的书包是新的。

他爸爸是当老师的。

我的书是刚买来的。

树木、草地都是绿色的。

②一副墨镜。

"副"是一个量词，一般用于成对或配套的东西，如"一副手套""一副碗筷""一副眼镜"等。

(2) 语法说明

①"的"字短语

"的"字短语是在名词、代词、形容词、动词(动词短语)后加"的"字构成的。"的"字短语可以看作是"的"后面的名词的省略，因此是名词性短语。如"他的""红色的""开车的"等。

"的"字短语在句子中可以作主语和宾语。例如：

开车的是他爸爸。

蓝色的衣服很漂亮，我不喜欢绿色的。

②动词短语作定语

在汉语中，可以充当定语的词语很多，动词或动词短语也是其中的一种。例如：

开车的人是男的。

穿红衣服的姑娘是她姐姐。

过年的时候，人们要买吃的和用的东西。

在这几个句子中，"开车""穿红衣服""过年""吃的和用的"都属于这类定语。

注意：动词或动词短语作定语时，定语和中心语之间一定要用"的"。

2. 语音教学

(1) "听力练习"录音文本

女孩：那个买牛奶的人是谁？

男孩：哪一个？

女孩：那个男的，黄头发，白衣服，蓝裤子。

男孩：那是我的邻居。

(2) "朗读练习"汉字文本

小小姑娘清早起床，

提着花篮上市场。

　　穿过大街，走过小巷，

　　卖花儿卖花儿声声唱。

3. 汉字教学

(1) 部件介绍

车——"辆"字的意符。凡以"车"为意符的字，其意义大多与车辆有关。作为部件，在书写时应该比单独的字瘦窄一些。

片——"牌"字的意符。"片"的本义是指长形的小木片。凡以"片"为意符的字，其意义大多与木片、木牌以及长形的板条有关。

田——"男"字的意符。凡以"田"为意符的字，其意义大多与田地有关，"男"就表示在田地里劳作的人。

力——"男"字的意符。凡以"力"为意符的字，其意义大多与劳作有关。"男"指的是在田里劳作的人。

糸——"紫"字的意符。"糸"是独体象形字，表示成束的丝。凡以"糸"为意符的字，其意义大多与丝织品以及丝织品的颜色有关。

(2) 汉字的笔顺

长	ノ	二	仨	长										
头	、	⺀	三	头	头									
发	⺄	⺓	龙	发	发									
衣	、	一	广	衣	衣	衣								
男	丶	冂	冂	田	田	罗	男							
戴	一	十	土	圭	吉	吉	击	甫	重	壴	重	壹	袁	戴	戴	戴

第五单元评估与测验

一、学习兴趣与态度的评估

第五单元的内容和日常生活紧密相关，更多地涉及不同文化的差异，在这个部分很容易考查学生的学习兴趣与参与意识。具体注意以下几个方面：

1. 学生对课文内容是否感兴趣，是否主动提问或回答问题。

2. 在本单元的各种活动中学生是否表现主动，积极参与。

3. 是否认真听并且参与练习语音听读材料，并对材料内容提出问题。

4. 是否关注所学汉字的结构，是否关心自己写的字好坏与否。

5. 是否表现出用汉语写作的兴趣。

二、语言技能的评估

1. 听生词，写拼音。

饺子（25）、热闹（26）、黄油（27）、口香糖（27）、大海（28）、草地（28）、裙子（29）、墨镜（30）。

2. 听生词，写汉字。

饮料（25）、因为（26）、礼物（26）、颜色（28）、红色（28）、衣服（29）、头发（30）。

3. 给句子注音。

老师在黑板上写出下列中文句子，请同学们给句子注上汉语拼音，然后读一读，翻译句子的意思。

(1) 我要一碗鸡蛋汤。(第25课)

(2) 今天这里很热闹。(第26课)

(3) 我要一盒牛奶、一瓶果酱。(第27课)

(4) 树木草地都是绿色的。(第28课)

(5) 我穿这件还是穿那件？(第29课)

(6) 如果配黑色的裙子，这件很好。(第29课)

(7) 他戴一副墨镜。（第30课）

(8) 他穿紫色的裤子。（第30课）

4. 标调号。

教师在黑板上给出下列拼音形式的句子，请同学们标上调号，然后读一读，看看这个句子是什么意思。

(1) wo bu he yinliao。（第25课）

(2) qunian wo shoudao hen duo liwu he yasuiqian。（第26课）

(3) houtian shi chunjie。（第26课）

(4) yigong duoshao qian?（第27课）

(5) hongse he chengse hen mingliang。（第28课）

(6) zhe jian yifu hen piaoliang。（第29课）

(7) na liang che shi baise de。（第30课）

(8) kaiche de ren shi nan de。（第30课）

5. 学生会话能力的考查。

每课后，教师可以根据本课的功能，主动和同学们打招呼，或者随机提问，让同学们回答，考查其掌握情况。例如：

第25课：你要多少个饺子？

第26课：什么是年货？

第27课：你每天早上吃几个面包？

第28课：你喜欢什么颜色?为什么？

第29课：你喜欢红色还是白色？

第30课：（指着某个同学）他的头发是长的还是短的?他穿的衣服是什么颜色的？

第六单元　体育和健康

单元介绍

这个单元主要涉及疾病、健康和体育运动等话题。学生在这个单元内会接触到受伤后就医、去看牙医，以及约同学参加体育活动、告诉别人怎么去一个地方和谈论旅游之类的语句和词汇。在这里，我们把"问路、指路"这一表达功能安排在和同学的对话中，把方位词设计在看牙医的对话中，这对于学习第二语言的学生来说更为实用。

本单元每一课都设有"导入"，请注意引导学生进行课前"预热"。

31 你哪儿不舒服

一、教学目的

1. 学习简单地向医生诉说自己的症状；
2. 继续进行听力和朗读训练；
3. 学习认、写汉字。

二、教学内容

1. 交际功能：简单说明身体的感觉和症状
2. 语言要点：(1) 副词"有点儿"
   (2) "动词＋一下儿"结构
3. 语音教学：(1) 听力练习（录音文本见本课"参考资料"）
   (2) 朗读练习（文本见本课"参考资料"）
4. 汉字教学：学习认字、写字

三、教学建议

本课的活动是角色扮演，5～6个学生一组，一个演医生，其他的演病人。教师应该鼓励学生在课文的基础上自编一些对话，并请各小组轮流在全班表演。

四、参考资料

1. 课文注释与语法说明

(1) 我的头有点儿疼。

"有点儿"是副词，多用在表示负面的形容词或状态动词前，表示轻微的程度，也可以说"有一点儿"。如：

今天有点儿冷。

我有点儿不舒服。

这儿有点儿脏。

注意"有（一）点儿"和"（一）点儿"的不同："（一）点儿"可以用在名词前

作定语，如：她吃了点儿米饭就走了；或用在形容词、动词后作补语，如：小张比小王高一点儿。而"有（一）点儿"多用在动词或形容词前作状语。

(2) 我检查一下儿。

"一下儿"用在动词后面，构成"动词＋一下儿"结构，表示动作短暂或轻松、随意的意思。又如"等一下儿""用一下儿""我出去一下儿就回来"等。

2.语音教学

(1) "听力练习"录音文本

  女人：你哪儿不舒服？

  男人：我的右腿有点儿疼。

  女人：我检查一下吧。没有大问题，你休息几天吧。

  男人：谢谢。

  女人：不客气，再见。

(2) "朗读练习"汉字文本

  吃葡萄不吐葡萄皮儿，

  不吃葡萄倒吐葡萄皮儿。

3.汉字教学

(1) 部件介绍

疒——"疼"字的意符。凡以"疒"为意符的字，其意义一般都与病痛有关。

金——"检"字的声符。作为部件，在书写时应该比单独的字瘦窄一些。

本——"体"字的部件。"体"本写作"體"，是个形声字。简化为"体"后，原来的造字意图已经表现不出来了。"本"只是造字部件。

是——"题"字的声符。"是""题"两字的现代汉语读音相差较多，但它们的古音很相近。作为部件，在书写时应该比单独的字瘦窄一些。

(2)汉字的笔顺

有	一	ナ	才	冇	冇	有					
查	一	十	才	木	朩	杏	杏	杳	查		
疼	丶	亠	广	广	疒	疒	疒	疼	疼	疼	
检	一	十	才	木	朴	朴	检	检	检	检	
舒	丿	人	스	牟	牟	舍	舍	舍	舒	舒	舒
腿	丿	刀	月	月	月	月	貯	貯	腿	腿	腿

32　医生，我牙疼

一、教学目的

1. 学会简单地说明方位；

2. 继续进行听力和朗读训练；

3. 学习认、写汉字。

二、教学内容

1. 交际功能：询问并简单说明方位

2. 语言要点：(1) 方位词

　　　　　　(2) 前缀"第"

　　　　　　(3) "喜欢＋动词短语"结构

3. 语音教学：(1) 听力练习（录音文本见本课"参考资料"）

　　　　　　(2) 朗读练习（文本见本课"参考资料"）

4. 汉字教学：学习认字、写字

三、教学建议

学生用书中的"练一练"是一个流行的拍手游戏，要求跟着"上上、下下，左左、右右，前前、后后"的节奏，分别在头顶上方、身体下方、身体左侧、身体右侧、胸前、身后拍手，每说一个字拍一次手。最后一句"我们都是好朋友"，在念"我""都""好""友"四个字时拍胸部。

四、参考资料

1. 课文注释与语法说明

(1) 右边第三颗。

"第"是前缀，用在整数的前边，表示次序，如"第一名""第二排"等。

(2) 我特别喜欢吃巧克力。

这个句子里的"吃巧克力"是一个动词短语，作"喜欢"的宾语。"喜欢 + 动词短语"这种结构的功能是表达喜欢做的事情，如"喜欢打篮球""喜欢玩游戏"等等。

(3) 以后应该少吃。

"以后"是可以用来表示比现在晚的时间。注意与"后来"的区别。

"应该"是助动词，用在动词前，表示事实上或情理上的需要。

(4) 关于方位词

方位词是指表示方向和相对位置关系的名称的词。按照方位词的结构，可以分为两种，一种是单纯方位词，一种是合成方位词。

单纯方位词是最基本的方位词，有：东、西、南、北、上、下、左、右、前、后、里、外、内、中、间、旁。

合成方位词的构成方式主要有两种：一种是在单纯方位词的前边加上"以"或"之"，或者在后边加上"边""面""头"。如：以南、之前、左边、右面、后头等。另一种是单纯方位词两两组合成另一方位词。如：东北、西南、上下、前后等。

单纯方位词一般不能单独使用。有的单纯方位词可以用在名词之前或之后，构成表示处所或时间的短语，如：东门、床上、春节前等等。

合成方位词可以单独使用，在句子中充当主语、宾语、定语等成分。例如：

学校的西边是一个商场。（主语）

小王在前边。（宾语）

左边的牙齿都坏了。（定语）

2. 语音教学

(1) "听力练习"录音文本

女孩：医生，我牙疼！

男人：哪一颗牙？

女孩：上面第三颗。

男人：左边还是右边？

女孩：右边。

男人：还有哪儿不舒服？

女孩：我的头也有点儿疼。

(2) "朗读练习"汉字文本

远看山有色，近听水无声。

春去花还在，人来鸟不惊。

（谜底：画）

3. 汉字教学

(1)部件介绍

果——"颗"字的声符。"果""颗"两字的现代汉语读音相差较大，但它们的古音很相近。作为部件，在书写时应该比单独的字瘦窄一些。

寺——"特"字的声符。"寺""特"两字的现代汉语读音相差较大，但它们的古音很相近。作为部件，在书写时应该比单独的字瘦窄一些。

弟——"第"字的部件。

曹——"槽"字的声符。"曹"字并不是一个独体字，还可以再次拆分。

(2)汉字的笔顺

巧	一	丁	工	巧	巧					
应	丶	亠	广	广	应	应	应			
该	丶	讠	讠	讠	诏	诏	该	该		
特	丿	丶	牛	牛	牜	牜	牜	特	特	
第	丿	人	竹	竹	竹	竿	竿	笃	第	第

33 你会游泳吗

一、教学目的

1. 学习谈论运动；

2. 继续进行听力和朗读训练；

3. 学习认、写汉字。

二、教学内容

1. 交际功能：谈论体育运动

2. 语言要点：(1) 助动词"会"

                (2) 连词"要是"

3. 语音教学：(1) 听力练习（录音文本见本课"参考资料"）

                (2) 朗读练习（文本见本课"参考资料"）

4. 汉字教学：学习认字、写字

三、教学建议

本课的活动是调查班上同学对运动的喜好。推选"最受欢迎的活动"，同学们都会积极参加。推选"运动明星"的活动应该视同学们的情况而定，如果同学们觉得感兴趣再进行。

四、参考资料

1. 课文注释与语法说明

(1) 你会游泳吗？

"会"是助动词，"会＋动词或动词短语"这一结构表示通过学习而具有做某事的能力。否定形式是在"会"前加"不"。例如：

    他会说两门外语。

    他会打羽毛球。

我不会游泳。

他不会打橄榄球。

(2) 要是有时间，你教我吧！

"要是"是一个表示假设关系的连词，它的用法与"如果"相同，区别是"要是"多用于口语，"如果"多用于书面语。例如：

要是下雨，我们就不去了。

要是爸爸不同意，我就不能去留学。

2.语音教学

(1)"听力练习"录音文本

男孩：你经常锻炼身体吗？

女孩：有时候锻炼一下。

男孩：你喜欢什么运动？

女孩：我很喜欢游泳。

男孩：你会打篮球吗？

女孩：我不会。

(2)"朗读练习"汉字文本

清明时节雨纷纷，路上行人欲断魂。

借问酒家何处有，牧童遥指杏花村。

这是唐朝诗人杜牧的一首七言诗，题为《清明》，写的是清明节前后的雨天，一个行路的人又累又饿，向放牧的孩子打听哪儿有吃饭休息的地方。

3.汉字教学

(1)部件举例

圣——"经"字的声符。作为部件，在书写时应该比单独的字瘦窄一些。

云——"运"字的声符。"运"的繁体字写作"運"，"軍"是声符。简化为"运"之后，"云"为声符。作为部件，在书写时应该比单独的字瘦窄一些。

止——"步"字的意符。"止"的本义表示人的脚，"步"字是由正反两个"止"字组成的，表示左脚、右脚交替向前行走。

孝——"教"字的声符。作为部件，在书写时应该比单独的字瘦窄一些。

(2)汉字的笔顺

动	一	二	云	云	刧	动				
运	一	二	云	云	沄	运	运			
步	丨	丨	止	止	牛	牛	步			
泳	丶	冫	氵	汀	汀	汮	泳	泳		
炼	丶	丷	灬	火	灯	炼	炼	炼		
跑	丨	口	口	足	足	足	趵	跑	跑	跑
游	丶	冫	氵	汃	氵	汸	汸	汸	游	游	游

4. 文化：太极拳

　　中国是武术王国，外国人都称中国武术为"中国功夫"。千百年来，"中国功夫"经过不断发展与创新，形成了各种不同的流派，其中"太极拳"就是一种久负盛名的中国武术。为了普及，现在中国普遍流行的太极拳法，实际上已经大大简化了。如今，太极拳在中国可以说是家喻户晓。每天早晨，都会看到有很多人在打太极拳，老年人尤其多。太极拳动作舒缓，圆转连贯，姿势优雅，不仅可以强身健体，增强防卫能力，而且极具观赏性。

34　去游泳池怎么走

一、教学目的

1. 学习问路并简单为别人指路；

2. 学习跟朋友打电话；

3. 继续进行听力和朗读训练；

4. 学习认、写汉字。

二、教学内容

1. 交际功能：(1) 问路

　　　　　　　(2) 给他人指路

2. 语言要点：(1) 疑问代词"怎么"

　　　　　　　(2) 介词"向"

　　　　　　　(3) "在＋表处所的名词＋动词"结构

3. 语音教学：(1) 听力练习（录音文本见本课"参考资料"）

　　　　　　　(2) 朗读练习（文本见本课"参考资料"）

4. 汉字教学：学习认字、写字

三、教学建议

本课可组织两个活动。

1. 教师根据学校的方位图，假设情景，让学生练习怎么问路。

2. 凑句子游戏。把同学们分成三组，一组在卡片上写本班同学们的名字；一组写在什么地方，可以是某个房间，也可以是学校里的某个教室，也可以是社区中自己熟悉的地点；第三组写做什么事情，例如：打篮球、吃比萨饼等等。然后把卡片分别放进三个小袋子，让学生们从三个袋子里分别抽出一张卡片，根据三张卡片上的话组成一个句子。例如"王家明在比萨饼店打篮球"。由于地点和做什么事情是随机组合的，往往可以组成可笑的句子。注意要学生们尽量用汉语写。

四、参考资料

1. 课文注释与语法说明

(1) 那里有教练。

这个句子里的"有"表示"存在",可参考第三十六课的语法说明。

(2) 去游泳池怎么走?

"怎么"是疑问代词,在这个句子里,用在动词前面,询问动作的方式。如:

这个字怎么写?

这句话怎么说?

(3) 从你家向东走,到第二个路口向右拐。

"向"是介词,与方位词"东"组成介词短语,作动词"走"的状语,表示动作"走"的方向是"东"。我们还可以说"向南走""向北走"等等。

(4) 我在那儿等你。

在这个句子里,"在"是介词,表示处所,与代词"那儿"组成介词短语,作动词"等"的状语,表示这个动作发生的处所。这种结构是:"在+表处所的名词+动词短语"。例如:

我在教室看书。

他在食堂吃午饭。

他们在操场打球。

2. 语音教学

(1) "听力练习"录音文本

女孩:Tom,去游泳池怎么走?

男孩:从学校向南走,在第一个路口向左拐。你会游泳吗?

女孩:我不会游泳。

男孩:别担心,那里有教练。

女孩:你跟我一起去游泳吧!

男孩:好,我去。

(2) "朗读练习"汉字文本

一只蝴蝶轻轻飘,顺风直上九重霄。

要知蝴蝶从哪来,顺着线儿往下找。

(谜底:风筝)

3. 汉字教学

(1) 部件举例

且——"担"字的声符。作为部件，在书写时应该比单独的字瘦窄一些。

各——"路"字的声符。"路"与"各"两个字的现代汉语读音相差较大，但它们的古汉语读音是非常接近的。作为部件，在书写时应该比单独的字瘦窄一些。

东——"练"字的部件。"练"的繁体字写作"練"，"柬"是声符。简化为"练"后，"东"不能单独为字，就只能是部件了。

(2) 汉字的笔顺

心	丶	心	心	心			
池	丶	冫	氵	汀	汕	池	
向	丿	亻	冂	向	向	向	
走	一	十	土	卡	卡	走	走
担	一	扌	扌	扣	扣	担	担
练	乚	纟	纟	纟	纩	练	练
怎	丿	亠	个	作	作	怎	怎	怎

35 你去哪儿度暑假

一、教学目的

1. 学习讨论假期打算；

2. 继续进行听力和朗读训练；

3. 学习认、写汉字。

二、教学内容

1. 交际功能：谈论度假计划

2. 语言要点：(1) 助动词"可以"

                (2) 连动句

3. 语音教学：(1) 听力练习（录音文本见本课"参考资料"）

                (2) 朗读练习（文本见本课"参考资料"）

4. 汉字教学：继续学习认字、写字

三、教学建议

课堂训练策略

去什么地方度假是学生们很喜欢的话题。教师可以在学习"An awful summer vacation"时让学生介绍自己度假情况，最后再鼓励他们做统计，看看本班同学的度假倾向性。

四、参考资料

1. 课文注释与语法说明

(1) 那里很凉快，还可以游泳。

"可以"是助动词，在这个句子里，后边跟动词，表示具备动作发生的客观条件。

又如：

    这个房间很大，可以住三个人。

这儿的草地很好，可以踢足球。

(2) 关于连动句

有一种句子，谓语是由两个或两个以上动词构成，几个动词共用一个主语，这样的句子叫连动句。课文中的句子"我去山区度暑假"就是连动句，其中有两个动词："去"和"度"。

连动句有不同的类型。我们在本课中学习其中的一种，即句子中后一个动词表示的动作行为是前一个动词表示的动作的目的。"度暑假"是"去山区"的目的。又如：

我去海边游泳。（"游泳"是"去海边"的目的。）

我去商店买东西。（"买东西"是"去商店"的目的。）

我去餐馆吃饭。（"吃饭"是"去餐馆"的目的。）

我打电话买比萨饼。（"买比萨饼"是"打电话"的目的。）

2. 语音教学

(1) "听力练习"录音文本

女人：你去海边度暑假吗，玛丽？

女孩：我去。那里凉快，也可以游泳。您去哪儿度暑假，林老师？

女人：我去山区，那里有我的朋友。

男孩：那我跟您一起去。我喜欢爬山。

女人：好，大卫，我们一起去。

(2) "朗读练习"汉字文本

柜里有个盘儿，

盘儿里有个碗儿，

碗儿里有个勺儿，

勺儿里有个豆儿，

小孩儿爱吃豆儿。

这段朗读的目的是练习儿化音，教师可以结合课本上的英文翻译讲解给学生，然后再练。

3. 汉字教学

(1) 部件介绍

者——"暑"字的声符。在现代汉语中，"者"与"暑"的读音相差很远，但在古代汉语中它们读音相近，"暑"以"者"为声符。

爪——"爬"字的意符。凡以"爪"为意符的字，其意义一般都与手或动物的爪子的动作有关。作为部件，在书写时应该比单独的字瘦窄一些，注意最后一笔要拉长。

京——"凉"字的声符。"京"与"凉"两个字的现代汉语读音相差较大，但它们的古汉语读音是非常接近的。

(2) 汉字的笔顺

区	一	フ	又	区				
西	一	冂	冂	丙	西	西		
爬	丿	厂	爪	爪	爪	爪	爬	
海	丶	丶	氵	汒	汇	海	海	海
部	丶	亠	立	产	音	音	部	部
凉	丶	冫	冫	广	宀	沪	冶	凉 凉

4. 文化：学校的假期

中国的大、中、小学一年当中有两个较长的假期，即暑假和寒假。暑假一般两个月左右，寒假一个月左右。在外地上学的学生寒假时一般都回家过，因为寒假期间有中国最重要的节日——春节。另外还有两个假期也比较长，即"五一"劳动节和"十一"国庆节，连上周末，能休息一个星期左右，这两个假期正值春天和秋天，天气很好，很多人都借机外出旅游。

36 运动场上有很多人

一、教学目的

1. 学习描写某个场面；

2. 继续进行听力和朗读训练；

3. 学习认、写汉字。

二、教学内容

1. 交际功能：描写场面

2. 语言要点：(1) 表示存在的"有"字句

(2) "有的……，有的……"句式

(3) 介词"给"

3. 语音教学：(1) 听力练习（录音文本见本课"参考资料"）

(2) 朗读练习（文本见本课"参考资料"）

4. 汉字教学：学习认字、写字

三、教学建议

附录中的"紫禁城中的汉语比赛"是一个总复习性的游戏。教师可以根据学生的情况选择是否玩以及玩多久。

四、参考资料

1. 课文注释与语法说明

(1) 有的参加棒球赛，有的参加网球赛。

"有的……，有的……"通常用来说明一个整体中的部分的情况。当"有的"所指的事物在前面没有交代时，"有的"后要加上所指的事物。我们看几个例子：

有的人喜欢晴天，有的人喜欢雨天。

图书馆里有很多书，有的是新的，有的是旧的。

(2) 我给大家送饮料。

"给"是介词，它的宾语是动词表示的动作所涉及的物体的接受者。在这个句子中，"大家"是"饮料"的接受者。

(3) 关于"有"字句

我们在前边讲过表示"领有"的"有"字句，这一课讲表示"存在"的"有"字句。例如：

> 操场上有很多人。
>
> 桌子上有一本书。
>
> 钱包里有三十八元钱。

这种句型的结构是"表处所的名词+有+名词"，其功能是表达某处存在着人或物。

这种"有"字句的否定形式跟表示领有的"有"字句一样，都是在"有"的前边加"没"。如：

> 钱包里没有钱。
>
> 桌子上没有书。
>
> 操场上没有人。

2. 语音教学

(1) "听力练习"录音文本

> 女人：星期五学校举行运动会，谁参加？
>
> 男孩甲：我参加棒球赛。
>
> 男孩乙：我参加网球赛。每次网球赛我都参加。
>
> 男孩丙：玛丽，你参加什么比赛？
>
> 女孩：他们有的参加棒球赛，有的参加网球赛，我参加啦啦队。
>
> 男孩丙：好，我给你们大家送饮料。

(2) "朗读练习"汉字文本

> 门前一棵葡萄树，嫩嫩绿绿刚发芽。
>
> 蜗牛背着重重的壳，一步一步地往上爬。
>
> 树上两只黄鹂鸟，嘻嘻哈哈在笑它，
>
> 葡萄成熟还早得很，现在上来干什么？
>
> 黄鹂黄鹂不要笑，等我上去它就成熟了。

3.汉字教学

(1)部件介绍

贝——"赛"字的意符。

奉——"棒"字的声符。"奉"与"棒"两个字的现代汉语读音相差较大，但它们的古汉语读音是非常接近的。作为部件，在书写时应该比单独的字瘦窄一些。

(2)汉字的笔顺

加	フ	カ	加	加	加					
员	丶	冖	冋	尸	吊	员	员			
参	乥	厶	厽	夵	夵	叁	参	参		
得	丿	彳	彳	彳	衵	衵	衵	徂	得	得
啦	丶	口	口	口	叶	吁	吖	啋	啦	啦
棒	一	十	才	木	朾	柸	杵	样	桂	棒	棒

第六单元评估与测验

一、学习兴趣与态度的评估

第六单元的评估应与整个学习阶段联系起来，可以从"听、说、读、写、动"五个方面来考查：

1. 听了听力材料后，反应是否快捷。

2. 参与交际是否主动。

3. 是否能自觉地读中文材料。

4. 是否常常写汉字，写中文文章。

5. 是否主动完成任务。

二、语言技能的评估

1. 听生词，写拼音。

检查（31）、应该（32）、以后（32）、巧克力（32）、糟糕（32）、锻炼（33）、游泳（33）、担心（34）、暑假（35）、运动员（36）。

2. 听生词，写汉字。

身体（31）、喜欢（32）、左边（32）、经常（33）、运动（33）、跑步（33）、山区（35）、参加（36）。

3. 给句子注音。

老师在黑板上写出下列中文句子，请同学们给句子注上汉语拼音，然后读一读，翻译句子的意思。

(1) 你哪儿不舒服？（第31课）

(2) 你应该少吃巧克力。（第32课）

(3) 玛丽经常锻炼身体。（第33课）

(4) 到第二个路口向左拐。（第34课）

(5) 从你家向东走。（第34课）

(6) 西部海边很凉快，还可以游泳。（第35课）

(7) 玛丽参加啦啦队。（第36课）

(8) 我给大家送饮料。（第36课）

4. 标调号。

教师在黑板上给出下列拼音形式的句子，请同学们标上调号，然后读一读，看看这个句子是什么意思。

(1) ni de shenti meiyou da wenti。（第31课）

(2) xiuxi ji tian。（第31课）

(3) ta xihuan chi tang。（第32课）

(4) wo xihuan paobu, ta xihuan youyong。（第33课）

(5) wo zai nar deng ni?　（第34课）

(6) ni qu bu qu youyong?　（第34课）

(7) wo qu shanqu du shu jia。（第35课）

(8) jintian xuexiao juxing yundonghui。（第36课）

(9) yundongchang shang you hen duo ren。（第36课）

(10) dawei shi wangqiu yundongyuan, ta jingchang de di yi。（第36课）

5. 学生会话能力的考查

每课后，教师可以根据本课的功能，主动和同学们打招呼，或者随机提问，让同学们回答，考查其掌握情况。例如：

第31课：你的头疼吗?

第32课：你喜欢吃巧克力吗?你牙疼吗?

第33课：你经常锻炼身体吗?你喜欢什么运动?你会游泳吗?

第34课：我们学校有游泳池吗?去游泳池怎么走?

第35课：你喜欢去山区度暑假吗?

第36课：你喜欢运动会吗?

附　　录

第一册交际功能总结

第一课

(1) 打招呼　(2) 自我介绍

第二课

(1) 打招呼　(2) 告别

第三课

自我介绍与介绍他人认识

第四课

(1) 感谢及其应答　(2) 询问他人姓名

第五课

(1) 询问他人身份　(2) "否定"的表达

第六课

综合介绍自己与他人

第七课

询问他人情况

第八课

询问他人交往情况

第九课

(1) 询问并说明领有的数量　(2) 10以内数字的表达

第十课

(1) 询问物品的归属　(2) 100以内数字的表达

第十一课

询问某人的去向

第十二课

(1) 表达心情　(2) 叙述活动经过

第十三课

(1) 询问年龄　(2) 了解他人意图

第十四课

(1) 询问年龄　(2) 谈论宠物

第十五课

(1) 询问对方从什么地方来　(2) 结识新朋友

第十六课

(1) 打电话订餐　(2) 询问、告知住址

第十七课

询问并告知家庭人口及成员

第十八课

叙述家庭情况

第十九课

询问、表达时间

第二十课

询问并表达作息时间

第二十一课

(1) 询问并表达日期　(2) 谈论节日

第二十二课

(1) 星期的表达　(2) 询问、说明计划

第二十三课

询问并表述天气情况

第二十四课

(1) 综合谈论天气　(2) 写信——一种书面交际形式

第二十五课

在饭馆点菜

第二十六课

(1) 讨论节日习俗　(2) 询问原因并解释

第二十七课

购物

第二十八课

(1) 谈论对颜色的喜好   (2) 描述颜色

第二十九课

询问并表达看法

第三十课

简单描述人物外貌特征

第三十一课

简单说明身体的感觉和症状

第三十二课

询问并简单说明方位

第三十三课

谈论体育运动

第三十四课

(1) 问路   (2) 给他人指路

第三十五课

谈论度假计划

第三十六课

描写场面

第一册语言要点总结

第一课

(1) 人称代词　(2) 动词谓语句：我叫……

第二课

(1) 词缀"们"　(2) 问候语"老师好"

第三课

(1) 关于动词谓语句　(2) "我是……""我叫……"句式

第四课

(1) 关于疑问代词　(2) 疑问代词"什么"

第五课

(1) 是非疑问句　(2) 疑问语气词"吗"　(3) 否定副词"不"

第六课

(1) 关于定语　(2) 结构助词"的"

第七课

(1) 疑问代词"谁"作宾语　(2) 副词"也"　(3) 动词"打"与宾语的搭配

第八课

(1) 表领有的"有"字句　(2) 副词"都"　(3) 动词"学"与宾语的搭配

第九课

(1) 疑问代词"几"　(2) 量词"张"

第十课

(1) 指示代词"这""那"　(2) 疑问代词"谁"作定语　(3) 疑问代词"多少"

第十一课

(1) 连词"和"　(2) 动词"在"　(3) 疑问代词"哪里"

第十二课

(1) 介词短语　(2) 介词"跟"　(3) 人称代词"大家"　(4) 副词"很"

(5) 形容词谓语句

第十三课

(1) 名词谓语句　(2) 正反问句

第十四课

"两"和"二"的区别

第十五课

(1) 由名词或代词加"呢"构成的省略问句　(2) 介词"从"

第十六课

(1) 动词"要"　(2) "住在＋表处所的名词"结构

第十七课

(1) 量词"口""只"　(2) 副词"还"

第十八课

(1) "……是……"用来说明某人的职业　(2) 动词"喜欢"与宾语的搭配

第十九课

(1) 时间词"今天"　(2) 语气词"吧"　(3) 钟点的表达

第二十课

(1) 时间词作状语　(2) 时间的表达

第二十一课

日期的表达

第二十二课

(1) "打算＋动词或动词短语"结构

(2) "跟……一起＋动词或动词短语"结构

第二十三课

(1) 主谓谓语句　(2) 疑问代词"怎么样"

第二十四课

(1) 短语结构"不冷也不热"　(2) 动词"觉得"

第二十五课

(1) 不定量词"点儿"　(2) 疑问代词"什么"作宾语

第二十六课

连词"因为"

第二十七课

(1) 副词"一共"　(2) 量词

第二十八课

颜色词

第二十九课

(1) 连词"还是"　(2) 选择问句　(3) 动词"配"

第三十课

(1) "的"字短语　(2) 动词短语作定语

第三十一课

(1) 副词"有点儿"　(2) "动词＋一下儿"结构

第三十二课

(1) 方位词　(2) 前缀"第"　(3) "喜欢＋动词短语结构"

第三十三课

(1) 助动词"会"　(2) 连词"要是"

第三十四课

(1) 疑问代词"怎么"　(2) 介词"向"　(3) "在＋表处所的名词＋动词"结构

第三十五课

(1) 助动词"可以"　(2) 连动句

第三十六课

(1) 表示存在的"有"字句　(2) "有的……，有的……"句式　(3) 介词"给"